ATLAS DE POCHE

ATLAS

DE POCHE

Nouvelle édition
mise à jour
(1990)

LE LIVRE DE POCHE

Dix-septième édition
entièrement remise à jour en 1990
par

LE LIVRE DE POCHE

Librairie Générale Française

Traduction de
Raymond Albeck

Notices géographiques rédigées
par le Bureau Cartographique Hachette.
Tous droits réservés.
© Texte : Librairie Générale Française 1968.
© Cartes : Entreprise Géodésique et
Cartographique à Prague, 1971.

TABLE ALPHABÉTIQUE DES MATIÈRES

(1) Le renvoi n'est effectué que pour une seule carte, sauf si la représentation de l'État est fractionnée entre plusieurs cartes (États-Unis, U.R.S.S.).

LEGENDE

LEGENDE

VILLES

France

⊖ **PARIS** plus de 1 000 000 d'hab.

◉ **MARSEILLE** de 500 000 à 1 000 000 d'hab.

◎ Toulouse de 100 000 à 500 000 hab.

◌ Cannes de 50 000 à 100 000 hab.

○ Biarritz de 25 000 à 50 000 hab.

○ Val d'Isère moins de 25 000 hab.

Autres cartes

⊖ **NEW YORK** plus de 1 000 000 d'hab.

◉ **CALGARY** de 500 000 à 1 000 000 d'hab.

◎ Utrecht de 100 000 à 500 000 hab.

◌ Reykjavik de 50 000 à 100 000 hab.

○ Gibraltar moins de 50 000 hab.

Cartes physiques et cartes du monde

○ Ottawa

● Fr. Bases permanentes de l'Antarctique

CANADA

Victoria

I. Ste. Hélène
(G.-B.)

PRAGUE

— · — · — · —

— · — · — · —

· · · · · · · · · · ·

— · — · — · —

— — — — —

—+—+—+—+—

C

————————

— — — — —

→ - - ←

· · · · · · · · · · ·

CARTES

rains

ieures
stration

épendants

États

RES

les États

les États fédérales

ntières (intérieures)

les territorires
es

contestées

parcs nationaux

TIONS

es

es en construction

voies ferrées)

es

Nil	Cours d'eau avec Rapides, chutes d'eau
	Cours d'eau saisonniers
	Canaux principaux
L.Huron	Lacs
	Lacs saisonniers
	Marais
	Bassins salants
	Écueils de coraux (Atolls)
	Glace permanente (Glaciers)
Alpes	Chaînes de montagnes et montagnes
Mt. Everest 8848	Sommets, altitudes en mètres
•5098	Profondeurs en mètres
Sahara	Régions, plateaux, cuvettes, déserts

ALTITUDES AU-DESSUS DU NIVEAU DE LA MER

Cartes du monde et des régions polaires

Au-dessous 0   200   500   2000   5000 m
du niveau de la mer

Cartes des continents et autres cartes

Au-dessous 0   200   500   1000   2000   4000   6000 m
du niveau de la mer

France

Au-dessous 0   100   200   500   1000   2000 m
du niveau de la mer

PROFONDEURS

0   200   2000   4000   6000   8000 m

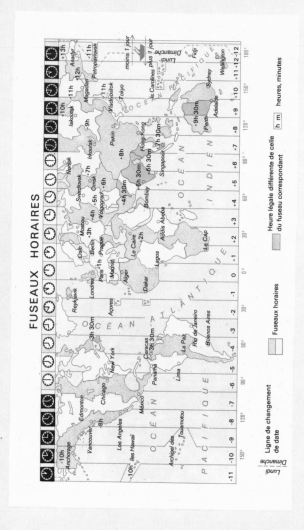

FUSEAUX HORAIRES

Orbite de la Terre autour du soleil

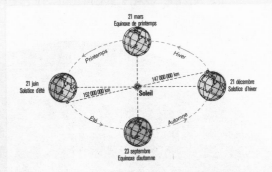

LE SYSTÈME SOLAIRE

Planète	Distance moyenne du soleil (millions de km)	minimale	maximale	Durée de la révolution autour du soleil	Durée de la rotation autour de l'axe	Volume (Terre = 1)	Masse (Terre = 1)	Densité (Terre = 1)	Diamètre maximum (kilomètres)	Nbre de satellites
Mercure .	57,9	79	220	87,97 j	59 j	0,055	0,053	0,96	4 840	
Vénus ...	108,2	40	259	224,70 j	242,98 j	0,91	0,815	0,90	12 110	
Terre ...	149,6			365,24 j	23 h 56 m	1	1	1	12 756	1
Mars ...	227,8	57	390	1 an 322 j	24 h 37 m	0,15	0,107	0,72	6 800	2
Jupiter ..	777,3	590	964	11 ans 315 j	9 h 50 m	1 317	318,0	0,24	142 800	16
Saturne ..	1 428	1 200	1 650	29 ans 167 j	10 h 14 m	762	95,22	0,12	120 800	17
Uranus ..	2 872	2 585	3 150	84 ans 7 j	10 h 49 m	50	14,55	0,29	50 800	15
Neptune .	4 498	4 300	4 680	164 ans 282 j	15 h 40 m	42	17,23	0,41	49 000	2
Pluton ..	5 910	4 275	7 550	249 ans 77 j	2 j	env. 1,3	0,9	0,73	6 400	1

En plus de ses 9 planètes et de leurs satellites, le système solaire comprend environ 50 000 petites planètes de dimension inférieure aux étoiles de 5ᵉ grandeur (2 100 sont répertoriées), des comètes, des météorites et des poussières interplanétaires. A cet ensemble se sont ajoutés depuis 1957 des satellites artificiels.

Mesures astronomiques :

Unité astronomique = distance moyenne de la terre au soleil = 149,6 millions de km.
Année lumière (A.L.) = distance parcourue par la lumière en une année = 9 500 000 millions de km.
Parsec [de *par*(allaxe) et *sec*(onde)] = distance à laquelle la distance terre/soleil serait vue sous un angle de 1 seconde, soit 3,26 années lumière (A.L.).

LE SOLEIL

Diamètre .... 1 391 000 km
Superficie .... 609 × 10¹⁰ km²
Volume .... 1 412 × 10¹⁵ km³
Distance moyenne
à la terre .... 149 600 000 km
Température à la surface ... 6 000 °C
Température interne .....13 000 000 °C

LA LUNE

Diamètre .... 3 476 km
Superficie .... 38 000 000 km²
Volume .... 219 × 10⁸ km³
Distance moyenne
à la terre .... 384 405 km
Température diurne .... + 130 °C
Température nocturne .... – 120 °C

DIMENSIONS DE LA TERRE

	Ellipsoïde de Hayford
Rayon équatorial	6 378 388 mètres
Demi-axe polaire	6 356 911,9 m
Aplatissement (aux pôles)	$\frac{1}{297}$
Circonférence équatoriale	40 076 594 m
Longueur d'une ellipse méridienne	40 009 152 m
Superficie totale	510 101 × 10³ km²
Superficie totale des terres émergées (29,3 %)	149 460 × 10³ km²
Volume	1 083 320 × 10⁶ km³
Masse	5,98 × 10²⁷ grammes

Composition chimique de la terre : oxygène 47 %, silicium 28 %, aluminium 8 %, fer 5 %, calcium 3,25 %, sodium 2,4 %, potassium 2,35 %, magnésium 2,35 %, hydrogène 1 %, titane 0,61 %, azote 0,35 %, etc.

COURANTS OCÉANIQUES

Nom	Localisation	Description
Courant équatorial nord et sud	Atlantique, Pacifique et O. Indien	chaud — cause : alizés
Gulf Stream	Atlantique	chaud — cause : vents
Kuro Chivo	Pacifique	chaud
Courant est-australien	Pacifique	chaud ; branche du courant équatorial
Courant du Brésil	Atlantique	chaud ; branche du courant équatorial
Courant des Aiguilles	O. Indien	chaud ; branche du courant équatorial
Courant général d'Ouest	Pacifique, Atlantique et O. Indien	froid
Courant de Humboldt	Pacifique	froid
Courant des Falkland	Atlantique	froid
Courant de Benguela	Atlantique	froid
Courant ouest-australien	Pacifique	froid
Courant du Groenland	Atlantique	froid
Courant du Labrador	Atlantique	froid
Courants saisonniers :		
Courant de la mousson	O. Indien	chaud
Oya Chivo	Pacifique	froid
Courants provoqués par des remontées d'eau froide :		
Courant des Canaries	Atlantique	froid
Courant de Californie	Pacifique	froid

PRINCIPAUX DÉTROITS

Noms	Relations	Long. en km	Larg. en km	Profondeur en mètres	
				max.	min.
Bab-el-Mandeb ..	Mer Rouge — G. d'Aden	50	17,5	320	60
Béring	Amér. — Asie (O. Pac. N.)	60	35	57	42
Bosphore	M. Noire — M. de Marmara	30	0,7	120	27
Dardanelles ...	M. Égée — M. de Marmara	71	1,3	105	54
Gibraltar	Méditerranée — O. Atl.	90	14	980	200
Magellan	O. Atl. (S.) — O. Pac. (S.)	600	33	320	20
Malacca	Presq. de Malacca-Sumatra	780	36	135	13
Pas-de-Calais ..	Manche — Mer du Nord	56	33	63	24
Sund	Danemark — Suède	110	4	38	12

1 : 150 000 000
0   1000   2000   3000   4000 km

ORGANISATIONS INTERNATIONALES

ORGANISATION DES NATIONS UNIES (O.N.U.).
La Charte des Nations Unies, élaborée d'abord à *Dumbarton Oaks* entre l'U.R.S.S., les États-Unis et le Royaume-Uni, en août-septembre 1944 ; puis entre les E.-U., le Roy.-Uni et la Chine en septembre-octobre de la même année, fut proposée et discutée à la Conférence de *San Francisco* du 25 avril au 26 juin 1945 et entra en vigueur le 24 octobre 1945. Le siège des Nations Unies est à *New York*. L'O.N.U. compte 159 membres (1987).
Structure : 6 organismes principaux.
L'Assemblée générale comprend tous les États membres. Chaque État dispose d'une voix et a droit à 5 représentants au maximum. La session ordinaire annuelle se tient à la fin de septembre. Des sessions extraordinaires peuvent être convoquées.
Le Conseil de Sécurité est composé de 5 membres permanents (« les Cinq Grands ») : Chine — États-Unis — France — Royaume-Uni et U.R.S.S. Tous les deux ans, l'Assemblée désigne les dix membres non permanents. La présidence est assurée, pour un mois, à tour de rôle, par chacun des dix membres. La majorité est de 9 voix, avec obligation, pour les questions de procédure, que les cinq membres permanents figurent dans cette majorité.
Le Conseil économique et social comprend auj. 54 membres (18 à l'origine). Il est chargé de promouvoir le respect et l'observance des droits de l'homme.
Le Conseil de tutelle a perdu une grande partie de son importance avec l'accession à l'indépendance de la plupart des territoires dont il contrôlait l'administration.
La Cour internationale de justice qui siège à *La Haye* (Pays-Bas) est composée de 15 juges élus par l'Assemblée et le Conseil de Sécurité pour une durée de 9 ans et rééligibles. La Cour arbitre les différends entre États, dans la mesure où ces différends lui sont soumis.
Le Secrétariat, organisme administratif, est dirigé par le Secrétaire général (Javier Perez de Cuellar, Pérou [81]), désigné par l'Assemblée, sous recommandation du Conseil de Sécurité.
Programme des Nations Unies pour le développement. Lors de sa 20e session (nov. 65) l'Assemblée gén. crée le Programme des N.U. pour aider par des investissements les pays en voie de développement.

Institutions spécialisées de l'O.N.U.

Agence intern. de l'Énergie atomique : Vienne (Autriche) — *Organisation intern. du Travail* : Genève (Suisse) — *Organisation des N.U. pour l'Alimentation et l'Agriculture* (Food and Agricultural Organization — F.A.O.) : Rome (Italie) — *Organisation des N.U. pour l'Éducation, la Science et la Culture* (U.N.E.S.C.O.) : Paris — *Organisation Mondiale de la Santé* (O.M.S.) : Genève (Suisse) — *Fonds monétaire intern.* (F.M.I.) : Washington (E.-U.) — *Banque intern. pour la Reconstruction et le Développement* : Washington (E.-U.) — *Société financière intern.* : Washington (E.-U.) — *Organisation de l'Aviation civile intern.* : Montréal (Canada) — *Union postale universelle* : Berne (Suisse) — *Union intern. des Télécommunications* : Genève (Suisse) — *Organisation météorologique mondiale* : Genève (Suisse) — *Organisation intergouvernementale consultative de la Navigation maritime* : Londres (Roy.-Uni) — *Organisation intern. du Commerce et Accord général sur les Tarifs douaniers et le Commerce* : Genève (Suisse).

ORGANISATION DES ÉTATS AMÉRICAINS : a succédé en 1948 à l'Union panaméricaine (fondée en 1890). A pour but le règlement des problèmes ou désaccords entre États américains.
ASSOCIATION LATINO-AMÉRICAINE D'INTÉGRATION : signée le 12-8-1981.
AGENCE POUR LE DÉVELOPPEMENT INTERNATIONAL (A.D.I.) : Organisme chargé d'administrer les programmes d'assistance des E.-U.
ANZUS (traité du Pacifique, 1.10.51) : pacte militaire entre les E.U., l'Australie, la Nouvelle-Zélande.
PLAN DE COLOMBO : établi le 28 nov. 1950. Il groupe autour des E.-U. : Canada, Roy.-Uni, Nouvelle-Zélande, Australie et 22 États asiatiques.
CENTO : Pacte d'assistance mutuelle entre Roy.-Uni, Iran, Pakistan, Turquie signé en 1955 (l'Irak s'est retiré en 59). Assistance militaire des E.U. Siège : Ankara.
LIGUE ARABE : organisation des pays arabes fondée le 22 mars 1945 pour coordonner leur activité politique. En font partie : Algérie, Arabie Saoudite, Bahrein, Djibouti, Égypte (suspendue), Émirats arabes unis, Irak, Jordanie, Koweit, Liban, Libye, Maroc, Mauritanie, Oman, Palestine, Qatar, Rép. arabe du Yémen, Rép. dém. pop. du Yémen, Somalie, Soudan, Syrie, Tunisie.
ORGANISATION POUR L'UNITÉ DE L'AFRIQUE (O.U.A.) fondée en 1963 par 32 pays africains.
ORGANISATION AFRICAINE ET MAURICIENNE (O.C.A.M.) fondée en 1966.
ORGANISATION DES PAYS PRODUCTEURS DE PÉTROLE (O.P.E.P.) : créée en 1960.
COMMUNAUTÉ DES CARAÏBES (C.A.R.I.C.O.M.) : créée en 1973.

NIVEAU DE VIE POUR QUELQUES ÉTATS

	Population totale (est. 86) (en millions)	% Population active (86)			Production nationale brute par habitant ($ en 86) * 1985	Espérance de vie à la naissance			
		agricult. forêts pêche	indust. et mines	services		hommes		femmes	
						1965	1985	1965	1985
Allemagne féd. avec Berlin-Ouest .	61,4	5	41	53,5	14 600	67	72	73	78
Allemagne de l'Est (R.D.A.)	16,7	12	50	38	11 000*	67	68	74	75
Arabie saoudite	12	40	38	22	8 850*	47	60	50	64
Argentine	31	13	28	59	2 000*	63	67	69	74
Australie	15,7	6,2	28,1	65,7	10 100	68	75	74	80
Belgique	9,8	3	34,9	66,1	11 250	68	72	74	78
Brésil	139	30	24	46	1 510*	55	62	59	67
Canada	25,6	5,5	25,5	69	14 000	69	73	75	80
Chine	1 070	64	21	15	255	54	68	55	70
Espagne	38,8	18	35,5	48,5	5 900	68	74	73	80
États-Unis d'Amérique	239	3,3	28,5	68,2	17 300	67	72	74	80
France	**55,4**	**7,9**	**33**	**59**	**12 700**	**68**	**75**	**75**	**81**
Gr.-Bret. (Roy.-Uni de)	55,7	2,6	32,9	64,5	7 870*	68	72	74	77
Italie	57,1	11,9	34,5	53,6	6 200*	68	73	74	79
Japon	121,5	8,9	34,9	56,2	16 100	68	75	73	80
Pays-Bas	14,5	5,1	27,8	67,1	8 434*	71	73	76	80
U.R.S.S.	279,5	17	39	44	6 299 (84)	66	65	74	74
Zaïre	34,0	67	15	18	80*	42	50	45	53

ORGANISATIONS EUROPÉENNES

CONSEIL DE L'EUROPE : fondé en 1949, il groupe aujourd'hui 21 États (170 représentants parlementaires et 21 ministres des Aff. étrang.). Les membres fondateurs sont : Belgique, Danemark, France, Irlande, Italie, Luxembourg, Norvège, Pays-Bas, Royaume-Uni, Suède. Y ont adhéré ensuite : en 1949, Turquie et Grèce — en 1950 l'Islande — en 1951 la Rép. féd. d'Allemagne — l'Autriche en 1956 — Chypre en 1961 — la Suisse en 1963 — Malte en 1965 — le Portugal en 1976 — l'Espagne en 1977 — le Liechtenstein en 1978. Il s'efforce de promouvoir l'unité européenne, par des accords en matière économique, sociale, culturelle, scientifique, législative et administrative. Siège : Strasbourg.

ORGANISATION DE COOPÉRATION ET DE DÉVELOPPEMENT ÉCONOMIQUE (O.C.D.E.) : fondée en 1961 par les États du Conseil de l'Europe, elle groupe 24 États, deux américains (E.-U. et Canada), le Japon et la Nouvelle-Zélande. Siège : Paris.

COMMUNAUTÉS EUROPÉENNES : douze États de l'Europe occidentale (Allemagne fédérale, Belgique, Danemark, Espagne, France, Grèce, Grande-Bretagne, Irlande, Italie, Luxembourg, Pays-Bas, Portugal) forment trois communautés dont les organismes exécutifs ont fusionné.
La Communauté européenne du Charbon et de l'Acier (C.E.C.A.) instituée le 18 avril 1951. **Siège** : Bruxelles. Sa commission exécutive est souvent désignée sous le terme de « Haute Autorité ».
La Communauté européenne de l'Énergie atomique (« Euratom ») instituée le 25 mars 1957. **Siège** : Bruxelles.
La Communauté économique européenne (C.E.E. ou « Marché commun ») instituée le 25 mars 1957. **Siège** : Bruxelles.
La C.E.E. vise à l'intégration économique des États membres, après une phase préliminaire. Des accords d'association ont été conclus entre la C.E.E. et de nombreux autres pays. Les institutions communautaires sont : le **Parlement européen** (518 membres), le **Conseil** (12 membres), la **Commission** (17 membres), la **Cour de justice** (13 avocats et 6 avocats généraux).

BENELUX : nom donné à une union douanière entre Belgique, Luxembourg et Pays-Bas, réalisée en 1948.

ASSOCIATION EUROPÉENNE DE LIBRE ÉCHANGE (A.E.L.E.) : groupe 6 pays : Autriche — Islande — Norvège — Suisse — Suède — Finlande, devenue membre en 1985. Le Danemark, l'Irlande, la G.-B. et le Portugal ont quitté l'A.E.L.E. du fait de leur adhésion au Marché commun.

CONSEIL D'ASSISTANCE ÉCONOMIQUE MUTUELLE (C.O.M.E.C.O.N.) : fondé en 1949, il associe les pays du « Pacte de Varsovie » (Rép. dém. allemande — Albanie — Bulgarie — Hongrie — Pologne — Roumanie — Tchécoslovaquie — U.R.S.S.), Cuba et la Mongolie, République démocr. du Viêt-nam. Les observateurs : Afghanistan, Angola, Éthiopie, Laos, Mexique, Mozambique, Nicaragua, Rép. dém. du Yémen. Il existe des accords de coopération avec la Finlande, l'Italie, le Mexique et le Nicaragua. Il a pour but de coordonner les plans des divers pays — de planifier et de fixer les prix des produits.

PACTE DE VARSOVIE : traité d'amitié et de sécurité collective entre les pays socialistes d'Europe, signé en 1955.

PACTE DE L'ATLANTIQUE NORD (O.T.A.N. ou N.A.T.O. = North Atlantic Treaty Organization) : Traité d'alliance politico-militaire signé par 12 États en 49 : Belgique, Canada, Danemark, France, Roy.-Uni, Islande, Italie, Luxembourg, Norvège, Pays-Bas, Portugal, E.-U. ; 1951 entrée de la Grèce et de la Turquie ; 1954 de l'Allem. féd. La France a retiré en 1966 ses troupes détachées auprès de l'O.T.A.N. Le siège, initialement fixé à Paris, a été transféré aux environs de Bruxelles.

EUROPE

L'Europe n'est que l'extrémité de ce que l'on appelle l'Eurasie. Ses limites, qui englobent une partie de l'U.R.S.S., sont conventionnelles, à l'Est, où elles suivent les monts Oural, l'Emba, la Caspienne et la Manytch ; une partie de la Turquie, pays asiatique, enjambe les Détroits et se trouve en Europe ; l'Islande, à mi-chemin entre l'Europe et l'Amérique, est considérée comme faisant partie de l'Europe ; enfin le Spitzberg inclus dans le « continent européen » appartient davantage à l'Arctique. Ainsi délimitée, l'Europe a une superficie de 10,5 millions de km² et compte env. 700 millions d'habitants. Son nom viendrait du mot « ereb » qui, chez les Phéniciens, désignait le pays où se couche le soleil.

Le point le plus septentrional est le cap Nord, en Norvège (71°10') ; le plus méridional, la pointe Marroqui, Espagne (36°2' Nord). Le point le plus à l'Ouest est le cap Roca, au Portugal (9°30' ouest de Gr.). L'Europe ne couvre que trois fuseaux horaires. Elle est située au centre de l'hémisphère qui contient la majeure partie des terres émergées et se trouve, tout entière, dans la zone tempérée.

Les côtes, d'une longueur de 37 900 km, les océans et les mers qui pénètrent le continent et s'achèvent en mers intérieures et en golfes profonds, découpant des îles et des péninsules, ont, depuis la plus haute Antiquité, conféré à l'Europe un inestimable privilège.

La structure géologique est variée : composée de roches très anciennes et de roches relativement récentes, elle a été soumise à de vastes mouvements orogéniques et tectoniques, et a connu plusieurs glaciations.

Les montagnes moyennes se situent au Nord-Ouest et au Nord : ce sont de **vieux massifs** de roches anciennes : Iles Britanniques et péninsule scandinave correspondent au plissement calédonien. Puis le très vieux bouclier baltique (ou scandinave) qui se fond dans le plateau de l'Europe centrale. Le plissement hercynien a principalement affecté les hautes terres, aujourd'hui aplanies, du massif Armoricain au quadrilatère de Bohême, où se trouvent de riches gisements charbonniers.

Les grandes chaînes occupent la moitié Sud : Pyrénées, Alpes et Alpes Dinariques appartiennent au plissement alpin qui se poursuit à travers l'Asie Mineure et l'Iran jusqu'au-delà de l'Himalaya. Elles se composent de roches anciennes et de roches sédimentaires récentes plissées.

Les plaines : au Nord, depuis l'Aquitaine en passant par le Bassin parisien et la grande plaine germano-polonaise, s'étendent de riches terrains formés de bassins sédimentaires et de plaines alluviales, tandis qu'au Sud les plaines subalpines s'encaissent entre les chaînes (plaines de l'Ebre, du Pô, plaine hongroise, etc.).

L'altitude moyenne de l'Europe est de 300 m — le sommet le plus élevé est le mont Blanc (4 807 m) — la dépression la plus profonde est la mer Caspienne avec – 28 m.

Les fleuves, de longueur modeste et de débit modéré, furent de tout temps des axes de pénétration. Aujourd'hui, complétés par des canaux de jonction, ils facilitent les communications et le transport des matières pondéreuses. La future liaison Rhin-Rhône constituera un axe de la Méditerranée à la mer du Nord. La canalisation projetée du haut Main et son raccordement au Danube permettront un jour de relier la mer Noire à la mer du Nord.

Les climats. A l'exception d'une frange polaire au Nord et d'une nuance tropicale à l'extrême Sud de l'Espagne, toutes les nuances des climats sont tempérées. Ce sont les influences maritimes, celles des vents d'Ouest et du courant de dérive des eaux tropicales *(Gulf Stream)* qui épargnent à l'Europe les contrastes brutaux que connaissent d'autres territoires situés aux mêmes latitudes. Le domaine atlantique du cap Finisterre à Trondheim, en Norvège, est *océanique* avec des hivers doux et humides, et des étés frais. A l'Est, le climat devient de plus en plus *continental* avec des contrastes de plus en plus accentués entre des hivers longs et froids et des étés chauds. Le Sud de l'Europe connaît un climat *méditerranéen :* hivers doux et humides, étés chauds et secs. Les nuances climatiques sont modifiées par l'altitude.

La température maximale a été enregistrée à Séville (+ 51 °C) et la température minimale à Oust Tsilma, U.R.S.S. (presque – 70 °C). **Températures moyennes annuelles** en degrés centigrades (et **précipitations** en millimètres) : Athènes 17,7 (343) — Rome 15,4 (803) — Istanbul 14,3 (733) — Madrid 13,3 (419) — Paris 11,2 (619) — Belgrade 11,1 (619) — Budapest 10,6 (638) — Vienne 9,6 (680) — Prague 9,2 (490) — Sofia 9,1 (580) — Berlin 9,1 (570) — Oslo 5,8 (645) — Reykjavik 3,9 (870) — Moscou 3,9 (533) — Hammerfest 2,1 (558) — Arkhangelsk 0,3 (387).

Flore et faune : leur distribution correspond aux nuances du climat et s'étage selon le relief : *toundra* au Nord, ou en altitude ; puis zone de conifères *(taïga)* à laquelle succèdent les arbres à feuilles caduques. Dans le Midi, arbustes à feuilles persistantes *(maquis et garrigues).* A l'Est, là où le climat est plus continental : *steppes herbeuses.* Les terres noires de l'Ukraine *(tchernoziom)* permettent une agriculture intensive.

EUROPE

LES FLEUVES LES PLUS IMPORTANTS

	Longueur en km	Débit moyen en m³/s
Volga	3 690	8 500
Danube	2 960	6 000
Oural	2 530	360
Dniepr	2 285	1 670
Rhin	1 326	2 100
Elbe	1 165	600
Loire	1 020	1 350
Oder	912	570
Rhône	812	1 720
Seine	776	520

LES GRANDS LACS

	Sup. en km²	Prof. en m
Ladoga [U.R.S.S.]	18 180	225
Onega [U.R.S.S.]	9 550	110
Venern [Suède]	5 546	89
Saïmaa [Finlande]	4 400	58
Balaton [Hongrie]	591	11
Léman [France-Suisse]	582	409
Constance [Allem.-Suisse]	540	252
Garde [Italie]	370	346
Scutari [Yougosl.-Albanie]	336	45
Bourget [France]	45	145

LES PRINCIPAUX SOMMETS (altitude en mètres)

Chaines plissées alpines

Mont Blanc [Alpes de Savoie]	4 807
Mont Cervin — Matterhorn [Alpes-Suisse] .	4 478
Jungfrau [Oberland Bernois]	4 166
Les Écrins [Oisans-Dauphiné]	4 103
Grand Paradis [Alpes-Italie]	4 061
Grossglockner [Alpes-Autriche]	3 798
Mulhacén [Sierra Nevada-Espagne]	3 481
Pic d'Aneto [Pyrénées]	3 404
Gran Sasso [Apennin-Italie]	2 914
Durmitor [Alpes Dinariques-Yougosl.] ...	2 522

Massifs anciens

Mont Olympe [Grèce]	2 985
Masala [Rhodope-Bulgarie] ..	2 930
Monte Cinto [Corse]	2 710
Jotunheim [Norvège]	2 561
Narodnaïa [Oural-Russie] ...	1 883
Mont Lozère [Massif Central]	1 702
Snĕžka [Mts des Géants] ...	1 603
Feldberg [Forêt-Noire]	1 493
Ballon de Guebwiller [Vosges]	1 426
Ben Nevis [Écosse]	1 343

LES ILES PRINCIPALES (superficie en km²)

Grande-Bretagne [Mer du Nord]..	228 300	Sardaigne [Méditerranée-Italie] ..	24 000
Islande [Atlantique Nord]	102 888	Corse [Méditerranée-France] ...	8 700
Nouv.-Zemble [Arctique-U.R.S.S.]	92 000	Crète [Méditerranée-Grèce] ...	8 200
Irlande [Atlantique Nord]	84 500	Majorque [Méditerranée-Espagne]	3 500
Spitzberg [Arctique-Norvège] ...	63 000	Gotland [Baltique-Suède] ...	3 200
Sicile [Méditerranée-Italie]	25 500	Oléron [Atlantique-France]	175

LES VOLCANS LES PLUS CONNUS

Volcans en activité

	Dernière éruption	Altitude en mètres
Etna [Sicile]	1983	3 295
Katla [Islande]	1818	1 500
Hekla [Islande]	1948	1 447
Vésuve [Italie]	1949	1 267
Stromboli [I. Lipari]	1955	926
Santorin [I. Cyclades]	1928	584

Volcans éteints

Puy-de-Sancy [Massif Central] .	1 886
Puy-de-Dôme [Massif Central] .	1 465
Rhön [Allemagne]	950

LES GRANDS GLACIERS

	Sup. en km²
Terre du N.-E. [Spitzberg] .	10 800
Vatna Jökull [Islande]	8 547
Hofs Jökull [Islande]	1 350
Glacier d'Aletsch [Al. de Suisse]	170
Mer de Glace [Alpes de Savoie]	37

LES GRANDES CHUTES D'EAU

	Hauteur en m
Kile [Norvège]	561
Gavarnie [France]	422
Krimm [Autriche]	396
Staubbach [Suisse]	299

EUROPE

Pays (et page de la notice géographique)	Superficie en km²	Population	Année	Densité au km²
Albanie (p. 63)	28 748	2 950 000	est. 86	102,6
Allemande (Rép. démocratique) (p. 58)	108 178	16 700 000	»	154,4
Allemagne (Rép. fédérale d') (p. 55)...	248 577	61 450 000	»	247,2
Andorre (p. 50 bis)	453	40 000	»	88,3
Anglo-Normandes (Iles) [G.-B.] (p. 71)	195	130 000	»	666,7
Autriche (p. 58)...................	83 949	7 560 000	»	90
Belgique (p. 50)...................	30 513	9 860 000	»	323,1
Berlin-Ouest (p. 55)	481	2 000 000	»	4 158
Bulgarie (p. 66)	110 912	9 000 000	»	81,1
Danemark (p. 70)	43 069	5 112 000	»	118,7
Eire (Irlande) (p. 54 bis)	70 283	3 600 000	»	51,2
Espagne (p. 54)	504 782	38 800 000	»	76,9
Féroé [Danemark] (p. 71)	1 399	45 000	»	30
Finlande (p. 71)	337 009	4 900 000	»	14,5
France (p. 35)	551 602	55 420 000	»	100,5
Gibraltar [G.-B.] (p. 71)	5,8	30 000	»	5 172,4
Grande-Bretagne et Irlande du Nord (Royaume-Uni de) (p. 51)...........	244 046	55 700 000	»	228,2
Grèce (p. 66)	131 944	9 950 000	»	75,4
Hongrie (p. 67)	93 030	10 700 000	»	115,2
Islande (p. 67)	103 000	240 000	»	2,3
Italie (p. 62)	301 225	57 100 000	»	189,6
Jan Mayen (Ile) [Norvège] (p. 71).....	372	—	—	—
Liechtenstein (p. 58)...............	160	26 000	»	162,5
Luxembourg (p. 50)	2 586	370 000	»	143,1
Malte (p. 63)	316	380 000	»	1 202,5
Man (Ile de) [G.-B.] (p. 71)	588	65 000	»	110,5
Monaco (p. 50 bis)	1,5	28 000	»	18 666,7
Norvège (p. 70)..................	324 219	4 160 000	»	12,8
Pays-Bas (p. 50)	40 844	14 550 000	»	356,2
Pologne (p. 59)	312 677	37 500 000	»	119,9
Portugal (p. 54)	92 082	10 250 000	»	111,3
Roumanie (p. 66)	237 500	22 900 000	»	96,4
Saint-Marin (p. 62)................	61	22 000	est. 84	360,6
Spitzberg (p. 71)	62 050	3 700	est. 86	0,06
Suède (p. 70)	449 964	8 350 000	»	18,6
Suisse (p. 50 bis)	41 288	6 500 000	»	157,4
Tchécoslovaquie (p. 59)............	127 869	16 000 000	»	125,1
Union des Rép. Socialistes Soviétiques en Europe (p. 74)	5 571 000	208 000 000	»	37,3
en Asie (p. 74)............	16 831 000	68 000 000	»	4
(total)	22 402 000	276 000 000	»	12
Vatican (p. 63)	0,4	1 000	»	2 500
Yougoslavie (p. 63)	255 804	23 250 000	»	90,9

L'Europe, non compris la partie européenne de l'U.R.S.S., a une densité moyenne de 100 hab./km² (495 millions d'hab. environ, sur 4,87 millions de km²). Aucune région n'est un désert, mais la population est inégalement répartie. Elle est surtout dense sur certaines côtes, dans les régions hautement industrialisées, le long des fleuves et dans les riches plaines.

L'Europe compte plus de 500 villes de plus de cent mille habitants et 49 d'entre elles atteignent ou dépassent le million (tableau p. 34).

Économiquement, son agriculture, héritière d'une longue tradition, a accompli un important effort de modernisation, et son industrie se hausse à l'avant-garde des réalisations technologiques. Elle participe à l'aide aux pays en voie de développement et investit des capitaux dans le monde entier, tandis que son influence culturelle et linguistique reste primordiale.

Les pays d'économie libérale ou capitaliste sont ceux de l'Ouest. Douze d'entre eux : Italie — France — Allemagne fédérale — Belgique — Luxembourg — Pays-Bas — Grande-Bretagne — Irlande — Danemark — Grèce — Espagne — Portugal (322,2 millions d'hab.) ont formé un « Marché commun ». Les pays de l'Est constituent le monde socialiste, solidaire de l'U.R.S.S., à laquelle ils sont associés dans le « Conseil d'Assistance mutuelle » (C.O.M.E.C.O.N.) auquel n'adhèrent ni la Yougoslavie (qui est parfois représentée) ni l'Albanie (qui l'a quittée).

MER DE BARENTS

Hammerfest · Petchenga · Marian-Mar
Mourmansk · Kirovsk · Apatity · Kandalakcha · Mezen · Oukhta · Berezovo · Ob
Muonio · Taivalkoski · Kalevala · MER BLANCHE · Arkhangelsk · Serginski
Kemi · Kem · Bielmorsk · Onega · Koura du Nord · Vytcheqda · Polotnotchnoie · Ivdel · Serov · Tavda
Oulu · Isalmi · Medvejegorsk · Konocha · Sotchonsk · Solikamsk · Berezniki · Tioumen
Vaase · Kuopio · Joensuu · Petrozavodsk · Syktyvkar · PERM · Chadrinsk · TCHELIABINSK
Pori · Tampere · Mikkeli · Charya · Kirov · SVERDLOVSK
Turku · Helsinki · Kotka · Viborg · Volhov · Bielozersk · Vologda · IJEVSK · Magnitogorsk
Espoo · G. de Finlande · LENINGRAD · Kostroma · Jochkar Ola · KAZAN · Nabereznye · Tchelny · OUFA
Tallinn · Narva · Novgorod · Rybinsk · IAROSLAVL · Ivanovo · DIMITROVSK · Sterlitamak · KOUIBYCHEV · ORENBOURG
RIGA · Pskov · Kalinin · Vladimir · GORKI · Saransk · Syzran · PENZA · Ouralsk
Liepaia · Daugavpils · UNION DES RÉPUBLIQUES · MOSCOU · RIAZAN · Bouzoulouk
Chiaouliai · Polotsk · Vitebsk · Smolensk · Mitchourinsk · Tambov · SARATOV · Makat
VILNIOUS · MINSK · Mohilev · Briansk · TOULA · Orel · VORONEJ · Aleksandrov Gai · Gouriev
Grodno · Soligorsk · Gomel · Koursk · VOLGOGRAD · MER
VARSOVIE · Brest · Pinsk · SOCIALISTES SOVIÉTIQUES · Fort-Chevtchenko
LVOV · Korosten · KIEV · KHARKOV · Poltava · VOROCHILOVGRAD · CASPIENNE
Ternopol · Vinnitsa · DONETSK · ASTRAKHAN
Tchernovtsy · DNIEPROPETROVSK · ZAPOROJIE · MARIOUPOL · ROSTOV-S.-LE-DON
KICHINEV · ODESSA · Nikolaïev · Melitopol · KRASNODAR · Stavropol
Iaşi · Kherson · MER D'AZOV · Kertch · Novorossiisk · Armavir · Kislovodsk · Grozny · Makhatchkala
Simferopol · Soukhoumi · Naltchik · Ordjonikidze · TBILISSI · Kirovabad · BAKOU
Sevastopol · MER NOIRE · Koutaisi · BULGARIE · Burgas

ROUMANIE · BUCAREST · Constanţa · Varna

6a Iles Anglo-Normandes
1:2 500 000

I. d Aurigny · C. de la Hague · Barfleur
Casquets · St-Anne · St-Pierre Eglise · St-Pierre-s.-M.
Cherbourg
MANCHE · Diélette · Valognes
I. de Guernesey · St-Sampson · Bricquebec · Montebourg
St-Pierre-Port · I. Sercq · Barneville-Carteret · St.-Sauveur-le-V.
Iles Anglo-Normandes (G.-B.)
I. de Jersey · St-Jean · La Haye du Puits
OCÉAN ATLANTIQUE · St-Aubin · St-Hélier · Rozel · Lessay · Périers
Roches d'Douvres · Coutances
Barnouic · Montmartin-S.-M.

EUROPE — LES PLUS GRANDES VILLES ET AGGLOMÉRATIONS
y compris partie européenne de l'U.R.S.S.
(classement approximatif du fait des dates différentes)

Agglomération ou ville [localisation]	Agglomération	Ville	Année
Paris [France]	8 510 000	2 188 918	1982
Moscou [U.R.S.S.]	8 396 000	......	1983
Londres [Roy.-Uni]	6 756 000	3 273 000 (80)	1984
Leningrad [U.R.S.S.]	4 681 000 (81)	4 779 000	1983
Madrid [Espagne]	......	3 188 000	1981
Athènes [Grèce]	3 027 000	886 000	1981
Istanbul [Turquie d'Europe]	2 949 000	2 903 000	1982
Rome [Italie]	2 912 000	......	1980
Birmingham [Roy.-Uni]	2 446 400 (76)	1 007 000	1986
Manchester [Roy.-Uni]	2 052 800	457 000 (83)	1986
Kiev [U.R.S.S.]	......	2 355 000	1983
Bucarest [Roumanie]	2 090 000 (80)	1 979 000	1982
Varsovie [Pologne]	2 080 200 (77)	1 635 000	1983
Budapest [Hongrie]		2 061 000	1983
Berlin-Ouest [Rép. féd. d'Allemagne]	1 902 300	1 855 000	1983
Barcelone [Espagne]	......	1 755 000	1981
Tachkent [U.R.S.S.]		1 858 000	1981
Leeds [Roy.-Uni]	1 736 000 (76)	710 000	1985
Glasgow [Roy.-Uni]	1 727 625 (80)	733 800	1985
Milan [Italie]	1 677 000 (80)	1 592 000	1983
Hambourg [Rép. féd. d'Allemagne]	1 653 000	1 610 000	1983
Lisbonne [Portugal]	1 611 887 (75)	832 000	1981
Vienne [Autriche]	......	1 562 000	1981
Kharkov [U.R.S.S.]		1 485 000	1981
Belgrade [Yougoslavie]	1 400 000	770 000	1978
Stockholm [Suède]	1 409 000	651 000	1983
Liverpool [Roy.-Uni]	1 481 000	491 500	1985
Gorki [U.R.S.S.]	......	1 367 000	1981
Copenhague [Danemark]	1 372 000	487 000	1983
Novosibirsk [U.R.S.S.]		1 343 000	1981
Minsk [U.R.S.S.]	1 330 000	907 104 (78)	1981
Munich [Rép. féd. d'Allemagne]	......	1 283 000	1983
Sverdlovsk [U.R.S.S.]		1 239 000	1981
Kouïbychev [U.R.S.S.]		1 238 000	1981
Naples [Italie]	......	1 210 000	1982
Sofia [Bulgarie]		1 200 000	1980
Prague [Tchécoslovaquie]	1 221 000	1 185 000	1983
Lyon [France]	1 221 000	413 000	1982
Turin [Italie]	1 161 000	......	1982
Berlin-Est [Rép. dém. allemande]	......	1 146 000	1980
Dniepropetrovsk [U.R.S.S.]		1 100 000	1981
Tbilissi [U.R.S.S.]	......	1 095 000	1981
Lodz [Pologne]	1 086 700	830 800	1980
Odessa [U.R.S.S.]		1 072 000	1981
Marseille [France]	1 070 000	867 050	1982
Donetsk [U.R.S.S.]	......	1 040 000	1981
Perm [U.R.S.S.]		1 018 000	1981
Kazan [U.R.S.S.]	......	1 011 000	1981
Rotterdam [Pays-Bas]	1 025 000	557 000	1981
Bruxelles [Belgique]	990 000	140 000	1983
Cologne [Rép. féd. d'Allemagne]	......	941 000	1983
Rostov [U.R.S.S.]		957 000	1981
Amsterdam [Pays-Bas]	965 000	582 000	1981
Volgograd [U.R.S.S.]		948 000	1981
Anvers [Belgique]	927 177 (78)	483 000	1986

FRANCE

*République française, 551 600 km² (543 998 sans les surfaces lacustres);
55 506 000 hab. (est. jan. 1987). Capitale : Paris 2 176 243 (rec. 82) (aggl.
8 706 963). Monnaie : franc.*

DESCRIPTION PHYSIQUE

Situation : Située entre 42°20 et 51°05 de latitude Nord, au centre de la zone tempérée, la France
s'inscrit dans un hexagone, dont aucun point ne se trouve à plus de 500 km de la mer : mer du
Nord — Manche — Atlantique — Méditerranée bordent 3 200 km de côtes et les frontières
terrestres s'étendent sur 2 100 km. A la fois continentale et maritime, océanique et méditerranéenne, elle fut et reste un lieu de rencontre de civilisations.

Structure et relief : les **massifs**, morceaux arasés du vieux socle hercynien, aux sols peu fertiles,
ont été envahis dans leurs parties déprimées par des terrains plus tendres et fertiles **(bassins
sédimentaires)**. Bouleversés au Tertiaire par les plissements alpins **(chaînes)**, ils ont été disloqués
(plaines d'effondrement).

Massifs anciens : L'ARDENNE n'occupe en France qu'une mince frange d'un massif développé
en Belgique : vaste plate-forme (500 m d'alt.) entaillée de profondes vallées *(Meuse)*.
LES VOSGES *(ballon de Guebwiller* 1 426 m — *ballon d'Alsace* 1 250 m) se divisent en Vosges
granitiques à l'est et Vosges gréseuses à l'ouest. La pente douce du versant lorrain s'oppose à la
retombée abrupte du versant alsacien. Les passages y sont malaisés.
LE MASSIF ARMORICAIN dépasse rarement 400 m *(monts d'Arrée* 384 m — *Bocage nor-
mand* 417 m) mais le relief est varié, principalement dans les vallées que suivent les affleure-
ments de roches tendres. Le rivage, accidenté, est caractérisé par des *rias*, anciennes vallées
envahies par la remontée du niveau de la mer au Quaternaire.
LE MASSIF CENTRAL, pays de moyenne montagne, est le reste de plissements hercyniens
réduits, dès le Primaire, à l'état de pénéplaine, puis soulevés et disloqués au Tertiaire, avec pour
conséquence des coulées de laves et l'édification de volcans. Depuis le Tertiaire, le Massif central
a été entaillé de vallées profondes. Il culmine à 1 886 m *(puy de Sancy)*. A l'est et au sud, le socle
s'élève jusqu'à 1 702 m *(mont Lozère)* et s'incline en pente douce vers l'ouest.
LES MAURES (779 m) et L'ESTÉREL (618 m) sont les débris d'un ancien bloc hercynien.
LA CORSE est, par son socle cristallin, rattachée aux massifs anciens, mais son relief (2 710 m
au *Monte Cinto)* lui donne un aspect alpin.

Chaînes récentes : LES PYRÉNÉES forment une barrière continue et massive de 435 km ; les
plus hauts sommets sont au centre *(Vignemale* 3 300 m). L'érosion glaciaire a été très forte et
l'érosion fluviale plus sensible vers l'ouest, où les paysages verdoyants s'opposent à ceux déchar-
nés des Pyrénées méditerranéennes.
LES ALPES couvrent, en France, 40 000 km². Longues de 350 km, larges, parfois, de 150 km, on
distingue : les Préalpes, calcaires, très arrosées dans le nord, plus riches dans le midi ; le Sillon
alpin ; les massifs cristallins centraux *(Mercantour* 3 300 m, *Oisans* 4 101 m, *Belledonne* et *mont
Blanc* 4 807 m) et enfin, dominant la plaine du Pô, les hautes Alpes plissées, aux roches variées,
souvent métamorphiques et disposées en nappes de charriage.
LE JURA : massif calcaire dont les sommets *(Crêt de la Neige* 1 723 m) dominent la frontière
suisse. Les plis se disposent en bandes longitudinales.

Les plaines occupent les deux tiers du territoire. Ce sont soit des bassins sédimentaires, vastes
cuvettes avec un empilement régulier des couches géologiques depuis le Trias jusqu'au Quaternaire *(Bassin parisien)*, soit des plaines d'effondrement *(Alsace, Sillon Saône-Rhône, Limagne)*.
Dans les bassins sédimentaires, le contact entre les couches géologiques peut donner des lignes de
côtes ou *cuestas* (Moselle, Meuse, Champagne, Ile-de-France). Dans le Bassin aquitain les auréo-
les sédimentaires sont souvent masquées par des dépôts de sable et d'argile arrachés aux massifs
voisins.

Climat : Le domaine *atlantique* est très tempéré. Brest, 7° en moyenne en janvier et 17° en juillet
et 150 jours de pluie par an (1 150 mm). Le domaine *méditerranéen* est caractérisé par l'importance des écarts de température : Aix-en-Provence 6° en janvier, 23° en juillet ; pluies brutales
d'automne et de printemps (au total 550 mm) ; de 2 500 à 3 200 heures d'ensoleillement par an.
Le domaine *continental*, hivers relativement longs et rudes. A Strasbourg – 2° en janvier et 20° en
juillet, 95 jours de gel, 20 jours de neige, précipitations totales annuelles 620° mm.

FRANCE

Superficie et population des départements

1	Départements [et préfectures]	Superficie en km²	Population (milliers, rec. 82)	Population (milliers, est. 1.1.86)
01	Ain [Bourg]	5 797,2	418,5	443,1
02	Aisne [Laon]	7 378,1	534	535,5
03	Allier [Moulins]	7 326,9	369,6	365
04	Alpes-de-Haute-Provence [Digne]	6 944,4	119	122,4
05	Alpes (Hautes-) [Gap]	5 520	105	107
06	Alpes-Maritimes [Nice]	4 294,4	881,2	894,8
07	Ardèche [Privas]	5 523	268	271,6
08	Ardennes [Mézières]	5 218,6	302,3	299,2
09	Ariège [Foix]	4 889,6	135,7	137,7
10	Aube [Troyes]	6 002,5	289,3	292,1
11	Aude [Carcassonne]	6 232,3	280,7	286
12	Aveyron [Rodez]	8 734,5	278,7	277,9
13	Bouches-du-Rhône [Marseille]	5 111,9	1 724,2	1 740,9
14	Calvados [Caen]	5 535,9	589,6	604,5
15	Cantal [Aurillac]	5 741	162,8	160,4
16	Charente [Angoulême]	5 952,9	340,7	341,6
17	Charente-Maritime [La Rochelle]	6 848,2	513,2	519,5
18	Cher [Bourges]	7 227,7	320,2	322,5
19	Corrèze [Tulle]	5 860,3	241,4	242
2 A	Corse-Sud [Ajaccio]	4 014	109	113,3
2 B	Haute-Corse [Bastia]	4 666	131	135,4
21	Côte-d'Or [Dijon]	8 765,4	473,5	482,7
22	Côtes-du-Nord [Saint-Brieuc]	6 877,6	538,9	544,6
23	Creuse [Guéret]	5 559	140	136,8
24	Dordogne [Périgueux]	9 183,8	377,3	390,1
25	Doubs [Besançon]	5 228,4	477,2	468,9
26	Drôme [Valence]	6 525,1	389,8	404
91	Essonne [Evry]	1 811,1	988	1 027,3
27	Eure [Évreux]	6 004	462,3	486,7
28	Eure-et-Loir [Chartres]	5 875,7	362,8	378,8
29	Finistère [Quimper]	6 785	828,4	840,6
30	Gard [Nîmes]	5 848,2	530,5	558,1
31	Garonne (Haute-) [Toulouse]	6 300,6	824,5	851,5
32	Gers [Auch]	6 254,1	174,5	173
33	Gironde [Bordeaux]	9 999,9	1 127,5	1 166,4
92	Hauts-de-Seine [Nanterre]	171,41	1 387	1 362,7
34	Hérault [Montpellier]	6 112,7	706,5	745,2
35	Ille-et-Vilaine [Rennes]	6 757,8	749,8	774,3
36	Indre [Châteauroux]	6 777,5	243,2	238,8
37	Indre-et-Loire [Tours]	6 123,6	506,1	520,9
38	Isère [Grenoble]	7 789,2	936,8	980,6
39	Jura [Lons-le-Saunier]	5 007,7	242,9	245,5
40	Landes [Mont-de-Marsan]	9 236,5	297,4	302,9
41	Loir-et-Cher [Blois]	6 314	296,2	301,8
42	Loire [Saint-Étienne]	4 773,7	739,5	738,2
43	Loire (Haute-) [Le Puy]	4 965,4	205,9	207,1
44	Loire-Atlantique [Nantes]	6 893,2	995,5	1 029,7
45	Loiret [Orléans]	6 742	535,7	561,6
46	Lot [Cahors]	5 228,3	154,5	156,7
47	Lot-et-Garonne [Agen]	5 357,8	298,5	302,3
48	Lozère [Mende]	5 168	74,3	73,5
49	Maine-et-Loire [Angers]	7 130,7	675,3	700,1
50	Manche [Saint-Lô]	5 947,4	466	473,5
51	Marne [Châlons-sur-Marne]	8 163,2	543,6	550,7
52	Marne (Haute-) [Chaumont]	6 215,6	210,7	210,4

1. Numéro d'identification postale et d'immatriculation automobile.

FRANCE (suite)

Superficie et population des départements

1	Départements [et préfectures]	Superficie en km²	Population (milliers, rec. 82)	Population (milliers, est. 1.1.86)
53	Mayenne [Laval]	5 171,3	271,8	276,7
54	Meurthe-et-Moselle [Nancy]	5 234,9	716,8	711,7
55	Meuse [Bar-le-Duc]	6 219,9	200,1	198,3
56	Morbihan [Vannes]	6 763,4	590,9	604,7
57	Moselle [Metz]	6 213,7	1 007,2	1 009,4
58	Nièvre [Nevers]	6 836,5	239,6	236,2
59	Nord [Lille]	5 738,4	2 520,5	2 501,3
60	Oise [Beauvais]	5 857	661,8	699
61	Orne [Alençon]	6 099,9	295,4	295,4
75	Paris [Paris]	105,4	2 188,9	2 127,9
62	Pas-de-Calais [Arras]	6 639,2	1 412,4	1 421,9
63	Puy-de-Dôme [Clermont-Ferrand]	7 954,7	594,3	601,9
64	Pyrénées-Atlantiques [Pau]	7 629	555,7	566,5
65	Pyrénées (Hautes-) [Tarbes]	4 507,4	227,9	227,1
66	Pyrénées-Orientales [Perpignan]	4 086,3	334,6	349,1
67	Rhin (Bas-) [Strasbourg]	4 787,3	915,7	938
68	Rhin (Haut-) [Colmar]	3 522,6	650,4	661,7
69	Rhône [Lyon]	2 858,5	1 445,2	1 460,9
70	Saône (Haute-) [Vesoul]	5 343	232	237,7
71	Saône-et-Loire [Mâcon]	8 565,2	571,8	571,1
72	Sarthe [Le Mans]	6 210,4	504,8	511,5
73	Savoie [Chambéry]	6 035,5	323,7	333,2
74	Savoie (Haute-) [Annecy]	4 391,3	494,5	522
76	Seine-Maritime [Rouen]	6 254	1 193	1 206
77	Seine-et-Marne [Melun]	5 916,6	887,1	976,5
93	Seine-Saint-Denis [Bobigny]	235,8	1 324,3	1 332,4
79	Sèvres (Deux-) [Niort]	6 004,4	342,8	344,6
80	Somme [Amiens]	6 175,3	544,6	549,5
81	Tarn [Albi]	5 751,2	339,3	339,7
82	Tarn-et-Garonne [Montauban]	3 716	190,5	194,5
94	Val-de-Marne [Créteil]	244,1	1 193,6	1 182,6
95	Val-d'Oise [Pontoise]	1 248,5	920,6	975,8
83	Var [Toulon]	5 999,3	708,3	754
84	Vaucluse [Avignon]	3 565,8	427,3	439,7
85	Vendée [La Roche-sur-Yon]	6 720,6	483	499,7
86	Vienne [Poitiers]	6 984,8	371,4	377,9
87	Vienne (Haute-) [Limoges]	5 512,4	355,7	357
88	Vosges [Épinal]	5 870,9	395,8	393,8
89	Yonne [Auxerre]	7 424,6	311	317,3
78	Yvelines [Versailles]	2 270,8	1 196,1	1 267,8
90	Territoire de Belfort [Belfort]	609,5	132	133,8

1. Numéro d'identification postale et d'immatriculation automobile.

TERRITOIRES EXTÉRIEURS

En 1946, « l'Union française » succéda à l'Empire colonial. Cette « Union » se transforma en 1958 en « Communauté » et aujourd'hui les rapports de la France avec des États souverains se placent sous le signe de la « coopération ». Aucun texte institutionnel ne définit ces rapports.

DÉPARTEMENTS D'OUTRE-MER. Ils font partie intégrante de la République française et leur statut a été défini par la loi du 19 mars 1946. Ce sont la Guadeloupe (p. 153) — la Martinique (p. 153) — la Guyane (p. 153) en Amérique ; la Réunion (p. 131) dans l'océan Indien — St-Pierre et Miquelon 1976 (p. 142).

TERRITOIRES D'OUTRE-MER. Ils font aussi partie de la République française. Ce sont en Océanie : la Nouvelle-Calédonie (p. 175) — les îles Wallis et Futuna (p. 175) — la Polynésie française (p. 175). Les terres australes, presque vides d'habitants, ont un statut spécial (p. 178).

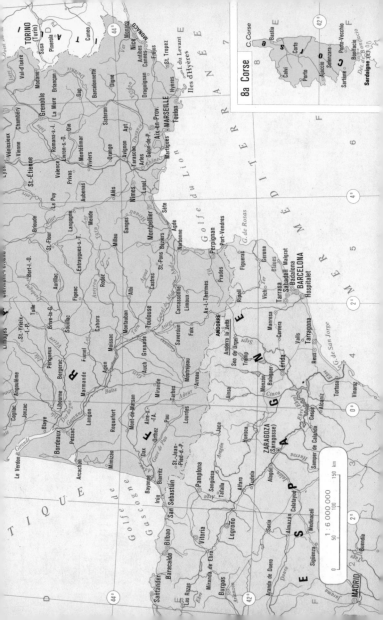

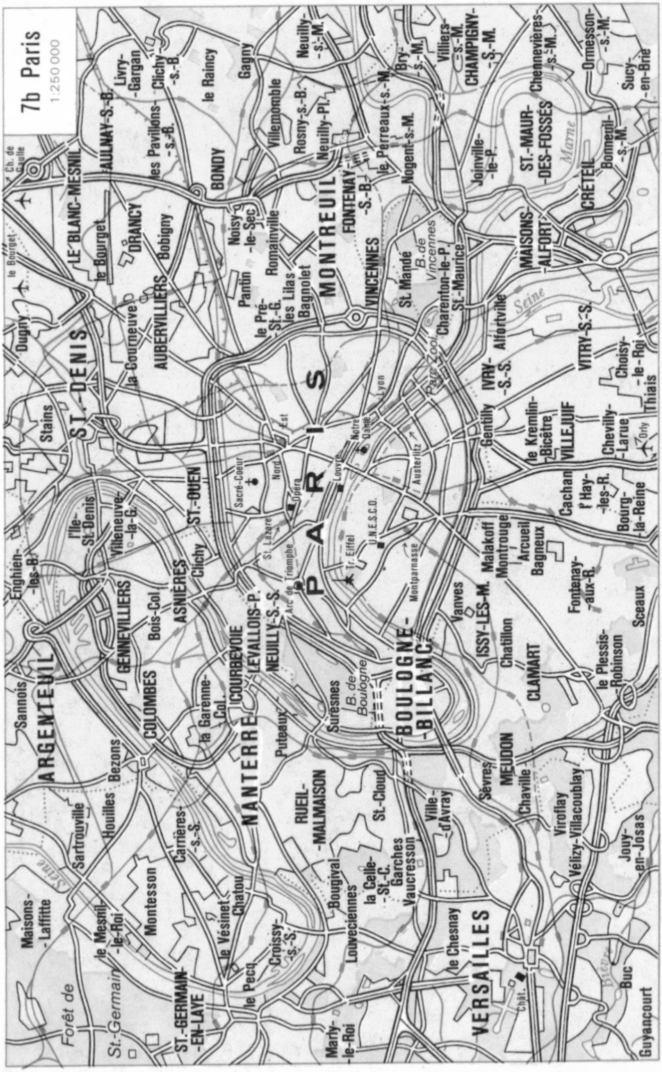
7b Paris
1:250 000
PARIS
ST.-DENIS
ARGENTEUIL
NANTERRE
VERSAILLES
MONTREUIL
BOULOGNE-BILLANC.
VINCENNES
AUBERVILLIERS
BONDY
DRANCY
LE BLANC-MESNIL
AULNAY-S.-B.
CRÉTEIL
CHAMPIGNY-S.-M.
ST.-MAUR-DES-FOSSÉS
MAISONS-ALFORT
VITRY-S.-S.
VILLEJUIF
IVRY-S.-S.
ISSY-LES-M.
CLAMART
MEUDON
RUEIL-MALMAISON
COLOMBES
GENNEVILLIERS
ASNIÈRES
COURBEVOIE
LEVALLOIS-P.
NEUILLY-S.-S.
ST.-OUEN
ST.-GERMAIN-EN-LAYE
FONTENAY-S.-B.
Tr. Eiffel
Sacré-Coeur
Opéra
Louvre
Notre Dame
U.N.E.S.C.O.
Arc de Triomphe
B. de Boulogne
B. de Vincennes
Seine
Marne
Forêt de St.-Germain
Orly
le Bourget
Ch. de Gaulle

FRANCE (suite)

Villes [ou agglomérations (75)] de plus de 100 000 hab., 1982 (milliers d'hab.)

Paris	2 189 [8 182]	Clermont-Ferrand	151 [253]	Avignon	91 [139]
Lyon	418 [1 170]	Cannes	73 [213]	Amiens	136 [137]
Marseille	879 [1 070]	Douai	45 [210]	Hagondange-Briey	15 [133]
Lille	174 [936]	Dijon	146 [208]	Montbéliard	33 [132]
Roubaix	101 [935]	Tours	136 [202]	Denain	28 [127]
Tourcoing	97	Mulhouse	114 [199]	Besançon	120 [126]
Bordeaux	211 [622]	Reims	182 [197]	Troyes	65 [126]
Nantes	247 [453]	Rennes	200 [193]	Nîmes	130 [125]
Toulouse	354 [440]	Dunkerque	74 [186]	Aix-en-Provence	124
Nice	338 [393]	Caen	117 [181]	Bruay-en-Artois	29 [116]
Grenoble	159 [389]	Metz	118 [181]	Villeurbanne	118 [116]
Rouen	105 [388]	Montpellier	201 [171]	Bayonne	43 [115]
Valenciennes	41 [350]	Brest	160 [169]	Saint-Nazaire	69 [111]
Toulon	181 [340]	Orléans	106 [168]	Pau	86 [110]
Strasbourg	252 [334]	Le Mans	150 [166]	Perpignan	114 [107]
St-Étienne-s/Loire	206 [334]	Angers	141 [163]	Annecy	52 [103]
Lens	42 [327]	Limoges	144 [148]	Angoulême	50 [100]
Le Havre	200 [262]	Béthune	26 [145]	Calais	77 [100]
Nancy	99 [258]	Thionville	41 [142]	Boulogne	103

ÉCONOMIE : Héritières d'une longue tradition où s'affirmaient les qualités de la main-d'œuvre, nos techniques agricoles et indust. sont l'objet de mutations profondes. Si les sources d'énergie ou de matières premières sont diversifiées, elles demeurent (sauf fer et bauxite) inférieures à nos besoins ; les perspectives offertes par le développement de l'énergie nucléaire et la pétrochimie bouleversent les données traditionnelles. Le mouvement de grandes concentrations des entreprises place la France dans le peloton de tête des nations industrielles (5e rang mondial).

Population active (1986) : 21 519 000 — agriculture, sylviculture, chasse et pêche : 7,9 % — industrie 33 % — secteur tertiaire 59 % — pop. recherchant un emploi (moyenne 87) 11,2 %.

AGRICULTURE : 3,5 % du P.N.B. Répartition du territoire : milliers d'hectares et [%] en 1986 : terres labourables 17 686 [32,2 %] — surface toujours en herbe 12 121 [22 %] — cultures fruitières 238 [0,4 %] — vignes 1 050 [1,9 %] — bois et forêts 14 400 [26 %] — cultures maraîchères, florales et jardins familiaux 30 300 [0,55 %] — cultures diverses — territoire agricole non cultivé 2 738 [4,9 %] — étangs en rapport 131 [0,23 %] — territoire non agricole 6 008 [10,9 %]. Utilisation des terres labourables : céréales 9 477 [53,5 %] — plantes sarclées 612 [3,4 %] — légumes secs de plein champ 237 [1,3 %] — cultures légumières de plein champ 248 [1,4 %] — cultures fourragères 5 271 [29,8 %] — jachères 221 [1,2 %] — oléagineux 1 335 [7,5 %].

Répartition des exploitations d'après superficie					
	1975			1985	
taille	nombre	%		nombre	%
moins de 5 ha ...	377 600	28,4		263 000	24,6
de 5 à 19 ha	455 900	34,3		315 400	29,7
de 20 à 49 ha ...	358 800	26,9		317 500	30,8
de 50 à 99 ha ...	106 600	8		122 900	11,5
100 ha et plus ...	32 200	2,4		37 900	3,4
TOTAL	1 331 000	100		1 056 700	100

Moyens de production (85) : tracteurs agricoles 1 491 200 — motoculteurs 422 100 — moissonneuses-batteuses-automotrices 131 300 — presses-ramasseuses 434 700.
Consommation d'engrais (campagne 86-87) (millions de t) : phosphatés 1,46 — potassiques 1,8 — azotés 2,4.
Production agricole (millions de t, 86) : blé 26,7 (Beauce — Brie — Picardie) — orge 10,1 — avoine 1,1 — seigle 0,2 — maïs 10,8 (Aquitaine — Beauce) — riz 0,06 (Camargue) — bett. sucr. 24,6 (Nord — Bassin parisien) — sucre 3,7 — p. de terre 6 — vin 73,5 millions d'hl (Languedoc — Bordelais — Bourgogne — Champagne) — bière 20,3 millions d'hl — lin 95 000 t — tabac 35 600 t — fruits.
Élevage (millions de têtes, 86) : bovins 23,5 — moutons 10,8 — porcs 10,9 — chevaux 0,28 — lait 35,2 millions de t — beurre 630 000 t — fromage 1 283 000 t — viande 5,5 millions de t.
Pêche (86) : 853 000 t (Boulogne — Lorient — Concarneau — Fécamp — La Rochelle — Dieppe). **Bois** (85) : rond 30 millions de m³.

FRANCE (suite)
ÉNERGIE

Sources d'énergie primaire	Production			Consommation		
	1960	1974	1986	1960	1974	1986
CHARBON (millions de t)	58,3	25,7	14,8	69,3	50	36,5*
PÉTROLE BRUT (millions de t) ..	2	1	2,9	26,7	104	86
RAFFINAGE PROD. PÉTROLIERS (millions de t)	—	—	95,6			
GAZ NATUREL (milliards de m³)	—	7,6	4,2	—	—	273,6
ÉLECTRICITÉ totale (milliards de kWh)	72,1	180,4	345,8	72	177	293,4
dont HYDRAULIQUE	—	56,8	64			
NUCLÉAIRE	—	13,9	241,4			

* 1985.

Charbon (86) : 14,8 millions de t, *Nord/Pas-de-Calais* 12 % — *Lorraine* 66 %. **Importations** (86) : 18,5 millions de t dont 5,2 du Roy.-Uni — 4,9 des E.U. — 3,3 d'Afrique féd. — 1,5 d'Afrique du Sud.

Pétrole (86) : 2,9 millions de t *(Aquitaine — Bassin parisien — Alsace)* — gaz naturel 4,217 milliards de m³ *(Lacq et Saint-Marcet)*.
Raffinage : importation de pétrole brut (86) 65,9 millions de t (Moyen-Orient : 38 % — Algérie : 2,8 millions de t — Nigeria : 6,4 — U.R.S.S. : 6,1 — Venezuela : 0,7 — Mer du Nord : 11,9). Exportation : produits finis 12,5. **Grandes raffineries** millions de t (86) : Basse Seine 35,6 (Gonfreville) — Marseille-Berre 26,5 — Nord 6 — Alsace 4,2 — Gironde 4,6 — Ile-de-France 4,6 — Donges 9,8 — Lyon 8,6. **Total raffinage** (86) 95,5 millions de tonnes.

Électricité (86) : prod. totale 345,8 milliards de kWh, dont thermique 26 % *(Nord et région parisienne)* et hydraulique 18,5 % *(Alpes — Massif central et Pyrénées)*. Centrales nucléaires 241,4 milliards de kWh : 12 sont en service dont *Gravelines* (35,8), *Blayais* (25,3), *Bugey* (24,8), *Tricastin* (24,2).

INDUSTRIES

Industries extractrices (86) : fer 3,7 millions de t (métal contenu) — bauxite 1,3 million de t — zinc (métal contenu) 39,4 milliers de t — plomb (métal contenu) 2,5 milliers de t — potasse 1,6 million de t — soufre 1,1 million de t — uranium 3 200 t.

Sidérurgie. En activité fin 86 : 22 hauts fourneaux. La crise a frappé durement la sidérurgie (157 600 personnes en 1974, 68 000 env. fin 1986). **Extraction de minerai** 3,7 millions de t. **Production** (millions de tonnes, 86) : fonte 13,9 — acier 17,8 — produits finis 15,8. **Région de l'Est :** fonte 4,3 millions de t — acier 5,3. **Région du Nord :** fonte 5,2 millions de t — acier 6,9. **Exportations :** 9 (Allemagne féd. et Benelux). **Importations :** 6,6 dont 3,8 d'Allemagne féd. et 2,8 du Benelux.
Métaux non ferreux (production 86) : aluminium 321 800 t *(Saint-Jean-de-Maurienne, Noguères)* — zinc raffiné 257 400 t — plomb raffiné 230 000 t.
Métallurgie différenciée et constructions mécaniques : construction automobile (86) 2 782 600 véh. de tourisme (4e rang mondial) *(Paris, Le Mans, Rennes, Flins, Sochaux)* — 459 500 (85) utilitaires *(Lyon-Vénissieux)* — constructions navales 113 600 tonneaux *(Basse Loire, Dunkerque, La Ciotat)* — constructions aéronautiques *(Paris, Toulouse)* — construction électrique et électronique — machines agricoles *(Vierzon, Beauvais, Saint-Dizier)* — matériel textile *(Nord, Belfort, Mulhouse)* — matériel de chemin de fer *(Le Creusot, Lille)* — machines-outils — quincaillerie — horlogerie *(Jura)* — coutellerie *(Thiers, Langres)*.

Industries textiles. Le textile, l'une des ind. les plus anciennes, souffre d'aspects anachroniques hérités de l'âge artisanal : dispersion des entreprises et dimensions trop réduites. Des concentrations se sont effectuées (Prouvost, Boussac-Saint-Frères, Dolfis-Mieg...).

FRANCE (suite)

LAINE (milliers de t, 86) : laine peignée 24 — filature de laine 97,7 — tissage de laine 48,3.

COTON (milliers de t, 86) : filature de coton 194,1 — tissage coton, lin, métis 194,3.

TEXTILES ARTIFICIELS ET SYNTHÉTIQUES (milliers de t, 86) : fils continus artificiels et fibres discontinues, art. 20,5 — fils continus synthétiques et fibres discontinues synt. 178,3 — tissage de soieries 65 600 t.

JUTE (milliers de t, 86) : filature 0,6.

Industries chimiques : L'industrie de base (chimie lourde) est localisée près des sources d'approvisionnement ou dans les ports. Les carrières fournissent calcaire et plâtre (région parisienne, vallée du Rhône) ; les soudières (Lorraine) ou les marais salants (Camargue, Atlantique) le sel ; la potasse (Alsace) ; le soufre (Lacq). A proximité des bassins houillers (Nord) et des centres de raffinage se développent les ind. nouvelles (carbochimie et pétrochimie). L'industrie chimique différenciée est plus dispersée.

Production (milliers de t, 86) : polychlorure de vinyle 880 — polypropylène 475 — superphosphates ($P_2 O_5$) 681 — acide sulfurique 3 954 — acide chlorhydrique 640 — soude caustique 1 517 — soufre brut 1 170 — caoutchouc synthétique 675.

COMMUNICATIONS. Routes (87) : 28 257 km de routes nationales et 6 019 km d'autoroutes, environ 347 000 km de chemins départementaux et 421 000 km de chemins vicinaux. En 1987, le parc de voitures particulières était d'env. 21,5 millions. La France est le pays le plus motorisé d'Europe (1 voiture pour 2 hab.).

Voies ferrées (86) : 34 600 km dont 11 600 électrifiés. Trafic 1986 : 59,9 milliards de voyageurs/km et 51,7 milliards de tonnes/km.

Marine marchande : Flotte (86) 5,9 millions de tonneaux. Trafic total portuaire 280,9 millions de t de marchandises (dont 75 % aux entrées), les hydrocarbures représentent 152,9 millions de t. Voyageurs : 21,8 millions. **Principaux ports** (total du trafic millions de t, en 86) Marseille 98,2 — Le Havre 47,2 — Dunkerque 32,4 — Nantes/Saint-Nazaire 24,5 — Rouen 21,9 — Calais 10,6 — Bordeaux 9,2 — La Rochelle 4,6.

Navigation intérieure (86) : longueur totale des voies navigables fréquentées : 6 409 km. Seulement 1 878 km sont accessibles aux bateaux de plus de 1 000 tonnes (Rhin, Moselle et Seine en aval de Paris).

Aviation (86) : 39,5 milliards de passagers/km — 3,1 milliards de t/km de fret et 116 millions de t/km de poste. **Aéroports :** Orly, Le Bourget, Roissy-en-France — Marseille — Bâle-Mulhouse — Nice.

Tourisme : Une des premières activités économiques françaises, a procuré en 1986 plus de 61 milliards de F l'apport des touristes étrangers : 36 080 000 (86). Environ 58 % des Français passent 30 jours de vacances hors de leur domicile habituel.

COMMERCE EXTÉRIEUR EXPORTATIONS (86) : 864,3 milliards de francs — produits finis 28 % dont machines — matériel ferroviaire — avions (Airbus, Mirage) — automobiles — produits bruts et demi-prod. 28,5 % dont minerais (fer) — fibres textiles, etc. — agriculture 8 %. CLIENTS : Allemagne fédérale — Italie — Belgique/Luxembourg — Grande-Bretagne — États-Unis — Pays-Bas. IMPORTATIONS (86) : 867,3 milliards de francs — énergie 12,9 % en valeur ; mais les 4/5 en poids (pétrole brut et houille) — produits chimiques et articles manufacturés 41,6 % — matériel de transport 29,4 % — agriculture 4,7 % (vin, fruits et primeurs, produits tropicaux). FOURNISSEURS : Allemagne fédérale — Italie — Belgique/Luxembourg — États-Unis — Grande-Bretagne — Pays-Bas — Espagne — Japon — Arabie Saoudite.

FRANCE ANALYSE RÉGIONALE

Les départ. ont été regroupés en 22 régions économiques (« *circonscriptions d'action régionale* ») pour lesquelles sont étudiés des programmes d'équipement et d'expansion.

Régions (et numéros d'identification des départements de chaque région).	Population totale milliers (1982)	Taux de chômage en % de la pop. active (janv. 87)	% des ménages possédant une automobile (84)
Ile-de-France (75, 77, 78, 91, 92, 93, 94, 95)	10 249	8,7	65,9
Champagne-Ardennes (08, 10, 51, 52) .	1 352	11,5	77
Picardie (02, 60, 80)	1 774	11,3	75,8
Haute-Normandie (27, 76)	1 693	12,7	77,3
Centre (18, 28, 36, 37, 41, 45)	2 324	9,6	76,8
Nord - Pas-de-Calais (59, 62)	3 927	13,6	70,3
Lorraine (54, 55, 57, 88)	2 313	10,7	73,7
Alsace (67, 68)	1 600	8,6	68,2
Franche-Comté (25, 39, 70, 90)	1 096	9,6	73,2
Basse-Normandie (14, 50, 61)	1 373	11,7	78,5
Pays de la Loire (44, 49, 53, 72, 85) . .	3 018	11,7	76,9
Bretagne (22, 29, 35, 56)	2 764	11,1	74,4
Limousin (19, 23, 87)	736	8,9	65,6
Auvergne (03, 15, 43, 63)	1 334	10,3	80,5
Poitou-Charentes (16, 17, 79, 86)	1 584	11,7	78,4
Aquitaine (24, 33, 40, 47, 64)	2 718	11,3	76,7
Midi-Pyrénées (09, 12, 31, 32, 46, 65, 81, 82)	2 355	9,5	77,4
Bourgogne (21, 58, 71, 89)	1 607	9,9	72
Rhône-Alpes (01, 07, 26, 38, 42, 69, 73, 74)	5 154	8,6	75,8
Languedoc-Roussillon (11, 30, 34, 48, 66)	2 012	13,9	72,1
Provence-Côte d'Azur (04, 05, 06, 13, 83, 84)	4 059	12,4	71,9
Corse (20)	249	11,2	72,9

À côté des circonscriptions d'action régionale, il existe de grands ensembles économiques naturels aux limites moins rigoureuses.

Ile-de-France : premier centre manufacturier, son activité repose sur les facilités de transports et une énorme concentration humaine, active et consommatrice. Les sièges sociaux des grandes entreprises y sont installés. Les ind. de transformation prédominent, mais l'industrie automobile se décentralise (fermeture de Citroën-Javel) — const. électr. — petite mécanique — prod. chimiques et pharmaceutiques — imprimerie et arts graphiques, etc.

Région du Nord : son importance repose sur le bassin houiller, les facilités d'importation *(Dunkerque)* et une abondante main-d'œuvre. Au textile *(Lille — Roubaix — Tourcoing)* s'associent : la sidérurgie — la métal. de transf. des métaux. Au total, le Nord emploie 6,3 % (1985) contre 12,5 % en 1979 des salariés industriels. De graves problèmes de structure se posent actuellement.

Région Est et Nord-Est : *(Nancy — Metz — Strasbourg)* 6,3 millions d'hab. et 8 % du total des salariés. Fer, houille et sel lorrains — proximité du fer luxembourgeois et du charbon sarrois — axe rhénan, auraient dû créer des éléments favorables à l'expansion de cette zone à vocation sidérurgique dont la périphérie est orientée vers les const. mécaniques *(Sochaux)*, la chimie et le textile. Mais la crise de la sidérurgie a freiné son extension.

La région Rhône-Alpes, centrée sur *Lyon* (chimie — camions — textiles), le bassin de *Saint-Étienne* avec l'électrochimie et l'électrométallurgie autour de *Grenoble*, concentre 5 millions de personnes et 9,3 % des salariés industriels.

Marseille-Berre, centre de raffinage et d'industries chimiques et alimentaires.

Aquitaine-Pyrénées, *Bordeaux* (raffinage et pétrochimie — ind. alimentaires) — *Toulouse* (aéronautique), le complexe de *Lacq* et l'électrochimie des *Pyrénées.*

Basse Loire avec *Nantes* et dépendances (const. navales et mécaniques — pétrochimie).

Région normande avec, de *Rouen* au *Havre,* les ind. pétrolières — mécaniques et textiles.

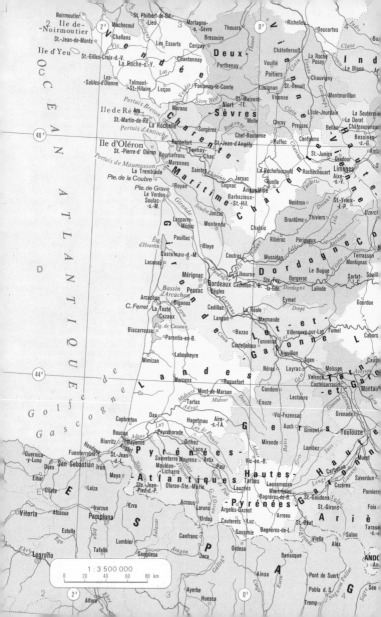

ANDORRE

Principauté gouvernée par deux syndics sous la protection du président de la Rép. française et de l'évêque de Seo de Urgel (Espagne). 453 km², 40 000 hab. (86). Monnaie : franc français et peseta espagnole.

Langues : catalan, français. **Économie** : élevage du mouton. **Tourisme** : 13 000 000 env. de visiteurs en 86. Pas d'impôts.

MONACO

Principauté de Monaco, 1,5 km², 28 000 hab. (86). Monnaie : franc français.

Ressources : Tourisme. Le Casino (ouvert en 1863) ne fournit plus que 40 % des revenus de l'État. Développement de laboratoires de recherches et de bureaux d'études. Des accords, signés en 1962, régissent les rapports douaniers et administratifs avec la France.

SUISSE

Confédération Suisse / Schweize Eidgenossenschaft / Confederazione Svizzera, 41 288 km², 6 500 000 hab. (est. 86). Capitale : Berne 138 600 hab. et aggl. 301 000 hab. (86). Monnaie : franc suisse.

Divisions administratives : 26 cantons. **Langues officielles** : allemand (64,9 %. Centre et N.-E.) — français (18,1 %, Suisse romande) — italien (11,9 %, Tessin) — romanche (0,8 %, petite portion des Grisons). **Villes** [et agglomérations] (milliers d'hab. en 86) : Zurich 351,5 [840] — Bâle 174,6 [363,6] — Genève 159,9 [382] — Lausanne 125 [260,2] — Winterthur 84 [107] — St-Gall 73 [125] — Lucerne 60 [160].

ÉCONOMIE — **Population active** (86) : 3 millions — agriculture 6,7 % — industrie 37,7 % — tertiaire 55,6 %. Pays industriel, à agriculture pastorale développée. **Élevage** (86) : 1,9 million de bovins, dont 900 000 vaches laitières — lait 4 millions de tonnes — fromages 131 000 t. **Autres ressources agricoles,** les 10 % du territoire qui sont cultivés produisent : blé 497 000 t (moitié des besoins) — bett. sucr. 790 000 t (86). **Industries** : machines — horlogerie — électronique — produits pharmaceutiques — lait condensé (Nestlé) — chocolat. **Électricité** (86) : 54,4 milliards de kWh (Valais 30 %, Rhin et Aar 25 %). **Tourisme** (85) : 9,5 millions de visiteurs. **Communications** : voies ferrées (électrifiées) 3 150 km — routes 70 820 km. **Exportations** (86) : 67 milliards de fr. suisses — prod. manufacturés. **Importations** : 73,5 milliards de fr. suisses — matières premières. Équilibre financier assuré par tourisme et mouvements de capitaux.

BELGIQUE

Royaume de Belgique, 30 513 km², 9 860 000 hab. (est. 86). Capitale : Bruxelles (Brussel), aggl. : 976 530 hab. (86). Monnaie : franc belge.

Divisions administratives : 9 provinces. **Langues :** français *(Wallons* 32 %) — néerlandais *(Flamands* 57 %) — allemand, dans l'Est. **Villes** [janv. 86] (milliers d'hab.) : Anvers (Antwerpen) 483,1 — Liège 201,7 — Gand (Gent) 234,2 — Charleroi 210,2.

ÉCONOMIE — Puissante industrie née du charbon et agriculture intensive orientée vers l'élevage. **Agriculture** (millions de t en 86) : blé 1,2 — p. de terre 1,6 — bett. à sucre 6,1 — cultures maraîchères et sous serres — vergers. **Élevage** (millions de têtes 86) : bovins 2,9 — porcs 5,5 — volailles. **Mines et industries** (millions de t en 86) : charbon 5,5 *(Hainaut, Sambre et Meuse, Campine)* — acier 9,7 — mét. du zinc, plomb, cuivre — ciment 5,7 — coton *(Flandre)* — laine — app. électrique — machines-outils — ind. chimiques. **Électricité** : 58,7 milliards de kWh. **Communications :** voies ferrées 3 667 km — voies navigables 1 559 km — routes 127 688 km — 4 millions d'autos (86) — flotte de commerce (86) : 2 420 000 tonneaux. **Exportations** (86) : 3 066,6 milliards de francs belges — prod. fabriqués et demi-fabriqués. **Importations** (86) : 3 061,8 milliards de francs belges — matières premières — prod. alimentaires.

LUXEMBOURG

Grand-duché de Luxembourg, 2 586 km², 370 000 hab. (86). Capitale : Luxembourg 81 000 hab. (86). Monnaie : franc luxembourgeois.

ÉCONOMIE — Ancienne grande puissance sidérurgique. La sidérurgie ne représente plus que 10 % du P.I.B. (30 % en 1974) : millions de t en 85 : fer (métal contenu) 0,13 — acier 3,9. Union douanière et monétaire avec la Belgique.

PAYS-BAS

Koninkrijk der Nederlanden, 40 844 km², 14 500 000 hab. (est. 86) ; royaume. Capitale : Amsterdam 679 100 hab. (aggl. 938 900). Monnaie : gulden (florin).

Divisions administratives : 12 provinces. **Agglomérations** (milliers d'hab. 86) : Rotterdam 1 025 — La Haye 674 — Utrecht 511 — Eindhoven 376 — Arnhem 294 — Haarlem 214 — Groningue 207.

ÉCONOMIE — Haute qualité des techniques agricoles (productions spécialisées et rémunératrices) et industrielles (à partir de prod. importés). **Élevage** (millions de têtes en 86) : bovins 5 — porcs 12,9 — volailles. **Prod. agricoles** (86) : lait 12,8 millions de t — beurre 265 000 t — fromage 536 000 t — horticulture. **Pêche** (81) 434,4 t. **Mines et industries** (millions de t en 86) : pétrole 4,9 — gaz naturel (4e producteur) 74 milliards de m³ *(Groningue)* — acier 5,2 *(Ijmuiden)* — constructions navales 107 200 tonneaux — const. automobile 119 000 véhicules de tourisme, et 23 600 utilitaires — matériel électrique (Philips, à *Eindhoven)* — ind. chimique *(Unilever)* ; textiles. **Électricité** (86) : 67 milliards de kWh. **Communications** (85) : voies ferrées 2 852 km — routes 110 327 km — voies navigables 4 832 km — flotte de commerce (86) 4,3 millions de tonneaux. **Exportations** (86) : 197,4 milliards de guldens — produits agricoles (beurre, fromage, œufs, légumes, fleurs), gaz naturel, produits manufacturés (radios). **Importations** : 184,8 milliards de guldens — matières premières agricoles et industrielles.

TERRITOIRE D'OUTRE-MER : ANTILLES (Curaçao, Aruba, Bonaire) (p. 154 bis). Aruba est séparée des Antilles néerlandaises depuis le 1er janv. 86.

GRANDE-BRETAGNE ET IRLANDE DU NORD (ROYAUME-UNI DE)

United Kingdom of Great Britain and Northern Ireland, 244 046 km² (y compris île de Man et îles Anglo-Normandes); 55 700 000 hab. (est. 86). Capitale : *Londres, 8 000 000 d'hab. avec la conurbation « Grand Londres » (est. 80).* Monnaie : *livre sterling.*

Divisions administratives : quatre régions historiques (Angleterre, Pays de Galles, Écosse et Irlande du Nord), 102 comtés *(shires)*, Man (588 km²) et îles Anglo-Normandes (195 km²). **Villes** (juin 85) (milliers d'hab.) : Birmingham 1 007 [West Midlands 2 641] — Glasgow 733,8 — Leeds 710,5 [W. Yorkshire 2 052,8] — Sheffield 538,7 — Liverpool 491,5 [Merseyside 1 481] — Manchester 451,1 [S.E. Lancashire 2 582] — Édimbourg 439,7 — Bristol 393,8 — Belfast 301,6 — Newcastle 282 [Tyneside 849] — Cardiff 278,9 [Galles S.E. 1 900]. Environ 92 % de la population est urbaine, une soixantaine de villes dépassent 100 000 habitants.

ÉCONOMIE. Population active (86) 27,1 millions — agriculture 2,6 % — industrie 32,9 % — secteur tertiaire 64 %. Le Royaume-Uni est le pays le plus anciennement industrialisé du monde occidental. Pendant un demi-siècle, le charbon assura la suprématie britannique. Aujourd'hui, c'est sur les industries de transformation que repose l'économie. Après une longue stagnation (1970-1980), on assiste à une reprise de la croissance. P.N.B. par habitant évalué à 7 870 $ (86). L'origine du produit national brut révèle une structure très industrialisée : agriculture 2,4 % — industrie 22,5 % — services et administrations publiques 67,6 %.

Agriculture (millions de t, en 86) : blé 13,8 — orge 10 — avoine 0,4 *(Écosse)* — pommes de terre 6,5 — betteraves suc. 8 — lin *(Écosse)* — houblon *(Kent)* — fruits et légumes. **Élevage** (millions de têtes en 86) : bovins 12,7 *(Sussex, Durham)* — moutons 24,5 *(Écosse, Galles)* — porcs 7,8 — chevaux de course. L'élevage représente env. 60 % du revenu agricole. **Pêche** (86) : 854 600 t.

Mines et industries (millions de t, en 86) : houille 106 *(Yorkshire* et *Midlands* fournissent 45 % du total) — fer *(Nottingham* et *Northampton)* — acier 14,8 *(Pays de Galles, Cumberland, Clyde)* — fonte 9,7 — métallurgie du cuivre *(Swansea)*, du plomb, du zinc et de l'aluminium *(Écosse)* — automobiles (86) : 1 019 300 véhicules de tourisme *(Birmingham, Coventry)* et 236 800 utilitaires — constructions navales (86) : 238 000 tonneaux lancés *(Clyde* et *Tyne)* — constructions aéronautiques (5ᵉ rang mondial) — machines textiles — filés de laine *(Leeds, Bradford)* — filés de coton *(Lancashire)* — textiles artificiels — ciment 13,4 — acide sulfurique — produits pharmaceutiques. **Pétrole** (86) : 126 920 000 — pétrochimie (second rang mondial) — raffinage de produits pétroliers 90 000 000 t *(Fawley)*. La découverte de gaz naturel, en 1966, dans le Nord-Est et en mer du Nord, fournit de l'énergie à bon marché (42 milliards de m³ en 86). **Électricité** (86) : 300 milliards de kWh, dont 54 d'origine nucléaire.

Communications : voies ferrées (G.-B.) 18 000 km — routes 350 607 km — automobiles (86) 21 100 000 — voies navigables 4 000 km — flotte de commerce (86) 11,5 millions de tonneaux, — trafic aérien (86) 51,2 milliards de passagers/km.

Exportations (86) : 73 milliards de livres — produits alimentaires 3,5 % — boissons et tabacs — matières premières — produits énergétiques 13 % — machines et matériels de transport 34 %. **Clients** : États-Unis 14,2 % — Rép. féd. d'Allemagne 11,7 % — France 8,5 %, C.E.E. 48 %.

Importations (86) : 86 milliards de livres — produits alimentaires 10,6 % — boissons et tabacs — matières premières 6,9 % — produits énergétiques 13,4 % — machines et matériels de transport 24,7 %. **Fournisseurs** : États-Unis 9,9 % — Canada 1,7 % — Rép. féd. d'Allemagne 16,4 % — C.E.E. 51,7 % — Japon 5,7 % — France 8,5 %.

COMMONWEALTH. Il comprend 49 États, répartis sur 18 millions de km² env. et peuplés de 960 millions d'habitants ; **en Europe** : Royaume-Uni, Malte ; **en Amérique** : Antigua et Barbuda, Bahamas, Belize, Sainte-Lucie, Saint-Vincent et les Grenadines, Dominica, Canada, Jamaïque, Trinidad et Tobago, Barbade, Guyane, Grenade, Saint-Christophe-Nevis ; **en Afrique** : Botswana, Ghana, Kenya, Lesotho, Nigeria, Sierra Leone, Ouganda, Tanzanie, Malawi, Maurice, Swaziland (ou Ngwane), Zambie, Gambie, Zimbabwe ; **en Asie et Océanie** : Australie, Nouvelle-Zélande, Fidji, Inde, Bangladesh, Malaisie, Nauru, Chypre, Papouasie, Samoa occid., les Seychelles, les Maldives, Singapour, Sri Lanka, Tonga, Vanuatu, Brunéi, les îles Salomon, Kiribati, Tuvalu, leurs colonies, protectorats et des territoires sous contrôle. **Voir le détail sur les notices des États par continent.**

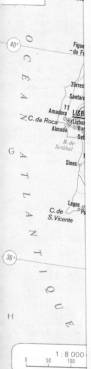

POSSESSIONS DU ROYAUME-UNI ET ÉTATS ASSOCIÉS

IRLANDE (EIRE)

Poblacht na h'Eireann; 70 283 km²; 3 600 000 hab. (est. 86); république. Capitale : Baile Atha Cliath (Dublin) 920 000 hab. (est. 86). Monnaie : livre irlandaise.

ÉCONOMIE : repose sur la production animale. Découverte de gaz et de pétrole. **Agriculture** (millions de t, 86) : p. de terre 0,7 — bett. suc. 1,4 — orge 1,3. **Élevage** (millions de têtes, 86) : bovins 5,6 — ovins 2,7 — porcs 1,1 — volailles. **Productions** (86) : lait 5,6 millions de t — beurre 145 000 t — fromages 72 000 t — viande 705 000 t — bière 5,8 millions d'hl. **Mines et industries :** gaz naturel, pétrole, charbon, tourbe — petite métallurgie — ind. textiles et alimentaires. **Électricité** (86) : 12,5 milliards de kWh. **Communications :** voies ferrées 1 944 km — routes 92 302 km. **Exportations** (86) : 9 707 millions de livres — produits alimentaires, vers le Royaume-Uni surtout. **Importations** (86) : 9 309 millions de livres — matières premières — produits industriels. Le déficit de la balance commerciale est en partie comblé par les revenus du tourisme et ceux fournis par le travail des Irlandais dans le Royaume-Uni.

ESPAGNE

*Estado español ; 504 782 km² (avec Baléares et Canaries) ;
38 800 000 hab. (est. 86) ; royaume.* Capitale : *Madrid [aggl.]
3 188 297 (rec. 81).* Monnaie : *peseta.*

Divisions administratives : 47 prov. continentales et 3 prov. insulaires. **Langues :**
le *castillan* (espagnol) parlé, en Espagne, par plus de 27 millions de personnes (et
250 millions dans le monde) — le *galicien* 2,5 — le *catalan* 6 — le *basque* parlé
par 600 000 personnes. **Villes** (milliers d'hab.) : Barcelone 1 755 — Valence 751
— Séville 653 — Saragosse 590 — Malaga 503 — Bilbao 433 — Las Pa!mas 366
— Murcie 288 — une trentaine d'autres villes dépassent 100 000 hab.

ÉCONOMIE : agriculture et industrie en expansion rapide, avec importante
participation de capitaux étrangers. Après une progression rapide de la prod.
industrielle la croissance plafonne depuis 10 ans (chômage 22 % de la pop. active). **Population active** (86) 13,4 millions ; ainsi répartie (86) : agriculture 18 % —
industrie 33,5 % — tertiaire 48,5 %.

L'Espagne a adhéré à la C.E.E. en janv. 1986.

Agriculture (millions de t, 86) : blé 4,3 *(Vieille et Nouvelle-Castille, Estremadure,
Andalousie, Aragon)* — orge 7,3 — maïs 3,4 — vin 38,7 millions d'hl *(Jerez,
Malaga)* — huile d'olive 518 000 t (2ᵉ prod. mond.) — agrumes 3,7 (1ᵉʳ export.
mond., *Valence*) — sucre 1 (canne) — riz 0,5 — liège *(Andalousie*, 1ᵉʳ prod.
mond.) — bananes *(Canaries)* 0,4 — tomates — primeurs. **Élevage** (millions de
têtes, 86) : ovins 17,5 — bovins 5 — porcs 12,2 — chèvres. **Pêche** (86) :
1 250 000 t.

Mines et industries (millions de t, 86) : houille 15,8 — fer (métal contenu) 3
(Bilbao, Santander) — pyrites de fer *(Biscaye)* — mercure 15 *(Almaden*, 2ᵉ prod.
mond.) — plomb 0,08 — zinc 2,3 — cuivre *(Rio Tinto)* — étain, tungstène — sel
— acier 11,9 — uranium 190 t — automobiles (86) 1 303 000 de tourisme et
195 000 util. — ciment 21,9 — acide sulfurique — filés de coton *(Catalogne)* —
laine — soie — textiles synthétiques — conserves. **Électricité** (86) 27,3 milliards
de kWh.

Communications (86) : voies ferrées 13 540 km — routes 318 548 km — parc
automobile 10 millions — flotte 5,4 millions de tonneaux. **Exportations** (86) :
3 800 milliards de pesetas — prod. alimentaires — matières premières. **Importations :** 4 890 milliards de pesetas — acier — machines-outils. **Tourisme :**
43,2 millions de visiteurs en 85.

PLACES DE SOUVERAINETÉ. Ceuta — Melilla (32 km², 122 000 hab.).

PORTUGAL

*Republica Portugesa ; 92 082 km² (avec Açores et Madère) ;
10 250 000 hab. (est. 86).* Capitale : *Lisbonne 832 800 hab. (86),
2 000 000 avec zone urbaine.* Monnaie : *escudo.*

Villes (milliers d'hab. 84) : Porto 330 — Coimbra 74,6 — Setubal 77,8.

ÉCONOMIE : 25 % de la pop. active travaille dans l'agriculture. Le Portugal a
adhéré à la C.E.E. en janv. 1986. **Agriculture** (millions de t, 86) : céréales — blé
0,4 — maïs 0,5 — fruits — raisin — vin 7,7 millions d'hl *(Porto)* — huile d'olive
0.49. **Mines :** wolfram — cuivre — étain — antimoine. **Électricité :** 19,25 milliards de kWh (surtout hydroélectricité). **Communications :** voies ferrées
3 600 km — routes 51 929 km — flotte 1,11 million de tonneaux (86). **Exportations** (86) : 1 076 milliards d'escudos — liège — vin — sardines — résine.
Importations : 1 412 milliards d'escudos — fer — acier — produits industriels
et alimentaires. **Tourisme :** constitue un apport appréciable.

ALLEMAGNE (République fédérale d')

Depuis 1945, un état de fait a donné à l'Allemagne des cadres réduits dans lesquels se sont développés deux États souverains : la République fédérale à l'Ouest, la République démocratique à l'Est.
Bundesrepublik Deutschland ; 248 454 km² ; 61 450 000 hab. (est. 86). Capitale : *Bonn 300 000 hab. (86).* Monnaie : *Deutsche Mark (D.M. West).*

Divisions administratives : provinces (10 *Länder*), Berlin-Ouest (voir ci-dessous) ne fait pas partie intégrante de la R.F.A. ; il peut être considéré comme 11e *Land* **Population :** la R.F.A. a dû incorporer 13 millions d'immigrés, d'abord dans les campagnes, puis dans les villes. La densité moyenne est de 247 hab./km² ; mais le tiers du territoire ne compte guère plus de 20 à 50 hab./km² tandis que la moitié environ de la population se concentre dans 24 agglomérations (sur 6,6 % du sol) : Ruhr, vallées du Rhin, du Main et du Neckar. **Villes** (milliers d'hab., 85) : Hambourg 1 586 — Munich 1 266 — Cologne 913 — Essen 622 — Francfort 598 — Dortmund 575 — Stuttgart 567 — Düsseldorf 563 — Brême 529 — Hanovre 520 — Nuremberg 466.

ÉCONOMIE : Une agriculture intensive, des ressources minières importantes, une industrie extrêmement développée font de la R.F.A. l'une des grandes puissances mondiales (4e rang). Après les destructions de la guerre, le niveau de 1938 fut retrouvé en 1951. Depuis, le coefficient de production a plus que doublé. **Population active** (86) : 27,3 millions ; agriculture 5,5 % — industrie 41 % — secteur tertiaire 53,5 %.

Agriculture : les forêts et bois représentent 27 %, les terres cultivées 45 %, les prés et pâturages 12,9 %, les terres incultes 14 %. Prédominance des petites et moyennes exploitations orientées vers l'élevage. — **Production** (millions de t, 86) : blé 10,4 — seigle 1,8 — p. de terre 8,7 — sucre de bett. 3,4 — orge 9,4 — légumes — fruits — vin 10,1 millions d'hl. **Élevage** (millions de têtes, 86) : bovins 15,6 — porcs 24,2 — volailles — lait 27,5 millions de t (85) — beurre — viandes — pommes (1er prod. européen) et fruits — primeurs *(Bade)* — houblon — tabac — margarine — bière 92,2 millions d'hl (84).

Mines et industries (millions de t, 86) : charbon 87 *(Ruhr, Sarre)* — lignite 114 — fer 0,2 *(Basse-Saxe)* — pétrole 4 *(Basse-Saxe)* ; capacité de raffinage 85,3 — sels potassiques 2,3 — acier 37 *(Ruhr et Sarre)* — ciment 26,5 — aluminium (1re fusion) 0,7 — automobiles (86) 4 272 900 de tourisme *(Volkswagen à Wolfsburg)* et 210 700 utilitaires — const. navales 496 000 tonneaux — filés de coton 205 200 t — filés de laine 55 200 t — appareils et gros matériel électrique — produits de l'industrie lourde — appareils photographiques — engrais azotés 1 117 200 t — caoutchouc synthétique 461 300 t — acide sulfurique — soude — pétrochimie *(Westphalie).*
Électricité (86) : 408 milliards de kWh.

Communications : voies ferrées 28 045 km — routes 487 251 km (dont 8 198 km d'autoroutes) — voies navigables 4 429 km (30 % du trafic intérieur) — flotte de commerce (86) 5,5 millions de tonneaux *(Hambourg* 52 millions de t de marchandises — *Brême* 27).

Exportations (86) : 524,433 milliards de D.M. — produits fabriqués (automobiles) — matériel électrique et optique — produits chimiques. **Clients :** France 10,4 % — Pays-Bas 8,4 % — Roy.-Uni 8,4 % — Belgique 7 % — Etats-Unis 10,41 %. **Importations** = 410,777 milliards de D.M. — produits alimentaires 13 % — matières premières brutes (fibres textiles, pétrole) et produits énergétiques 30 %. **Fournisseurs :** Pays-Bas 11,5 % — France 11,4 % — Italie 9,2 % — Roy.-Uni 7,1 % — C.E.E. 52,4 % — États-Unis 6,4 %.

BERLIN-OUEST

481 km², 1 965 000 hab. (86), 3 952 hab. par km².
Berlin fut divisé en 4 secteurs après la 2e guerre mondiale, selon les accords de Potsdam (1945). Berlin-Ouest se compose de trois secteurs qui furent occupés par les U.S.A., la Grande-Bretagne et la France. Elle englobe les quartiers de : Kreuzberg, Neukölin, Tempelhof, Schöneberg, Zehlendorf, Steglitz, Tiergarten, Charlottenburg, Wilmersdorf, Spandau, Wedding, Reinickendorf. A la tête de l'administration, on trouve le Sénat et le maire.

Économie : ville à l'économie hautement développée, avec l'électronique, les machines, le textile et autres, dont les produits sont particulièrement destinés à l'exportation.
Entre Berlin-Ouest et la République fédérale existe un important courant d'échanges, qui a lieu par les voies routières et les corridors aériens traversant la République démocratique.

12a Bassin de la Ruhr
1:2 000 000

RÉP. DÉM. D'ALLEMAGNE

1 Berlin	9 Leipzig
2 Cottbus	10 Magdeburg
3 Dresden	11 Neubrandenburg
4 Erfurt	12 Potsdam
5 Frankfurt	13 Rostock
6 Gera	14 Schwerin
7 Halle	15 Suhl
8 Karl-Marx-Stadt	

RÉP. FÉD. D'ALLEMAGNE

1 Baden-Württemberg
2 Bayern
3 Bremen
4 Hamburg
5 Hessen
6 Niedersachsen
7 Nordrhein-Westfalen
8 Rheinland-Pfalz
9 Saarland
10 Schleswig-Holstein

POLOGNE
49 districts
(województw)

AUTRICHE
1 Burgenland
2 Kärnten
3 Niederösterreich
4 Oberösterreich
5 Salzburg
6 Steiermark
7 Tirol
8 Vorarlberg
9 Wien

TCHÉCOSLOVAQUIE
1 Středočeský
2 Jihočeský
3 Západočeský
4 Severočeský
5 Východočeský
6 Jihomoravský
7 Severomoravský
8 Západoslovenský
9 Středoslovenský
10 Východoslovenský

ALLEMAGNE (République démocratique d')

Deutsche Demokratische Republik ; 108 178 km² (y compris Berlin-Est 403 km²) ; 16 700 000 hab. (est. 86). Capitale : *Berlin-Est 1 150 000 hab. (est. 86).* Monnaie : *Ostmark = 100 pfennige.*

Divisions administratives : 15 districts *(Bezirke)*. **Villes** (milliers d'hab., 86) : Leipzig 554,6 — Dresde 519 — Karl-Marx-Stadt 316 — Magdebourg 288 — Rostock 242 — Halle 235 — Erfurt 215 — Potsdam 138 — Gera 131 — Schewerin 127.

ÉCONOMIE : en dépit de grands progrès, l'ag.iculture demeure déficitaire ; une industrie lourde originale (sidérurgie et chimie) a pris son essor à partir du lignite ; avec les industries mécaniques et textiles, elle permet à la R.D.A. de se classer au second rang des États industriels du camp socialiste. **Population active** (est. 86) : 8,9 millions — agriculture 12 % — industrie 50 % — secteur tertiaire 38 %.

Agriculture : sur 65 000 km² de terres cultivées et de prairies, 86 % sont exploités par les « Coopératives de production agricole », 4,1 % par les fermes d'État — les forêts occupent 27 % du sol. **Agriculture** (millions de t, 86) : blé 4,1 — seigle 2,4 — p. de terre 8 — bett. suc. 7,9 — lin. **Élevage** (millions de têtes, 86) : bovins 5,8 — porcs 12,9 — moutons 2,5 — beurre. La production ne suffit pas à la consommation en céréales, fruits, viande et graisses. Les améliorations portent sur l'élevage.

Mines et industries (millions de t, 86) : lignite 311 (1er prod. mond. *Thuringe, Saxe, Lusace*) — capacité de raffinage de pétrole 26,6 — sels potassiques 3,4 *(Stassfurt, Thuringe)* — sel — cuivre — uranium — fer 0,01 *(Harz)* — fonte 2,7 *(Eisenhüttenstadt, Calbe)* — acier 7,9 *(Brandebourg)* — mét. du cuivre *(Hettsdedt)* et des métaux non ferreux — automobiles (86) 218 400 de tourisme, 45 600 utilitaires — acide sulfurique 0,9 (86) — caoutchouc synthétique 118 000 t (86) *(Buna à Schkopau)* — carbochimie et pétrochimie *(Leuna)*. **Électricité** (86) : 115,3 milliards de kWh. **Communications** : voies ferrées 14 199 km — routes 127 000 km (autoroutes 1 850) — voies navigables 2 319 km — flotte 1 519 000 tonneaux (nouveau port de *Rostock* : 18,9 millions de t, trafic 86). **Exportations** (86) : 92,2 milliards de D.M. — machines et équipement — combustibles — produits chimiques. **Importations** (86) : 86,7 milliards de D.M. — coke — pétrole (oléoduc de Kouibychev, U.R.S.S. à Schwedt-sur-l'Oder) — matières industrielles — prod. alimentaires.

AUTRICHE

Republik Österreich ; 83 849 km² ; 7 560 000 hab. (est. 86). Capitale : *Vienne (Wien) 1 520 000 hab. (86).* Monnaie : *schilling. En vertu du traité de paix de 1955, l'Autriche, zone neutre garantie par les puissances signataires, n'adhère à aucun bloc, n'entretient pas d'armée.*

Divisions administratives : 9 provinces — **Villes** (milliers d'hab., 81) : Graz 239 — Linz 201 — Salzbourg 138 — Innsbruck 116 — Klagerfurt 86.

ÉCONOMIE : des ressources pastorales et minières, des industries variées assurent un commerce actif. Le tourisme (15 millions de visiteurs étrangers en 86) est prospère. **Agriculture** : céréales — p. de terre. **Élevage** (millions de têtes, 86) : bovins 2,7 — porcs 4 — lait 3,7 millions de t. **Mines et industries** (millions de t, 86) : fer (métal contenu) 0,9 — pétrole 1,7 — lignite 2,9 — acier 4,6. **Électricité** : (86) 44,6 milliards de kWh. **Communications** : voies ferrées 5 808 km — routes 124 200 km — voies navigables 360 km *(Danube)*. **Exportations** (86) : 342,4 milliards de schillings — machines, instruments de précision, tissus. **Importations** · 407,9 milliards de schillings — prod. finis, matières premières.

LIECHTENSTEIN

Fürstentum Liechtenstein ; 160 km² ; 26 000 hab. (est. 86) ; principauté. Capitale : *Vaduz 4 600 hab. (86). Deux seigneuries. Uni à la Suisse par une union douanière.* Monnaie : *franc suisse.*

ÉCONOMIE : agriculture et élevage. Petites industries métallurgiques et chimiques. « Paradis fiscal », le Liechtenstein a le plus grand nombre de sièges sociaux d'entreprises par hab. Touristes (85) : 85 551.

POLOGNE

Polska Rzecspospolita Ludowa 312 677 km² ; 37 500 000 (est. 86) ; république.
Capitale : *Varsovie (Warszawa) 1 650 000 hab. (est. 86).* Monnaie : *zloty.*

Divisions administratives : 49 districts *(Wojewodztwo).* **Villes** (milliers d'hab., 85) : Lódź 849 — Cracovie (Kraków) 740 — Wroclaw (Breslau) 636 — Poznań 553 — Gdańsk (Danzig) 467 — Szczecin (Stettin) 391 — Bydgoszcz 364 — Katowice 363 — Lublin 304 — une vingtaine d'autres villes dépassent 100 000 habitants.

ÉCONOMIE : l'agriculture, demeurée en partie individuelle (77 % des terres arables en 86) constitue une ressource appréciable, mais la part de la production industrielle est élevée et l'exploitation du potentiel énergétique et minier ravitaille les autres pays du camp socialiste. **Population active** (86) : 24 millions, 24 % agriculture, 39 % mines et industries, 37 % services. **Agriculture** (millions de t, 86) : blé 7,4 — seigle 9 (2ᵉ prod. mond.) — avoine 2,4 — orge 4,6 — bett. suc. 16 — p. de terre 37,4 (2ᵉ prod. mond.) — lin 30 000 t — colza — tabac — légumes. **Élevage** (millions de têtes, 86) : bovins 10,8 — porcs 18,9 — moutons 4,7 — lait 16 millions de t — viande 2,3 millions de t. **Pêche** (86) : 645 200 t. **Forêts :** 25 % du territoire — bois 24,7 millions de m³ (84).

Mines et industries (millions de t, 86) : houille 192 [4ᵉ rang mond] *(Silésie)* — lignite 66 — fer (métal contenu, 85) 3 000 t — zinc 0,18.— plomb 0,08 — argent 83 t (7ᵉ rang mond.) — soude *(Wieliczka)* — sel — acier 17,1 *(Byton, Nowa Huta)* — automobiles (86) 290 000 de tourisme et 55 200 utilitaires — locomotives — wagons — ciment 14,9 — acide sulfurique — engrais — matières plastiques et fibres synthétiques — filés de coton 196 600 t — filés de laine 82 400 t — cristaux — industries alimentaires. **Électricité** (86) 140 milliards de kWh.

Communications : voies ferrées 27 000 (dont 5 580 à voie étroite) — routes 299 900 km — voies navigables 4 100 km — flotte (86) : 3,4 millions de tonneaux *(Gdańsk/Gdynia* 16 millions de t — *Szczecin* 19,5) — **Exportations** (86) : 2 115 milliards de zlotys (40 % avec l'U.R.S.S.) — charbon — coke — matériel indust. — prod. agricoles et alimentaires — **Importations** (86) : 1 964 milliards de zlotys (55 % avec l'U.R.S.S.) — pétrole — matières premières — machines.

TCHÉCOSLOVAQUIE

Československá socialistická republika ; 127 869 km² ; 16 000 000 hab. (est. 86) ; république. Capitale : *Prague (Praha) 1 200 000 hab. (est. 86).* Monnaie : *koruna.*

Divisions administratives : En 1968, la Tch. est devenue une fédération de deux États : tchèque et slovaque — 12 districts. **Villes** (milliers d'hab. 86) : Bratislava 409 — Brno 383 — Ostrava 325 — Košice 218 — Plzeň 176. **Peuples :** Tchèques 64,3 % — Slovaques 30,5 %.

ÉCONOMIE : pays industrialisé qui a une grande activité agricole (8 % du P.N.B.). **Population active** (86) : agriculture 10 % — industrie 49 % — tertiaire 41 %. **Agriculture** (millions de t, 86) : blé 5,3 — orge 3,5 — bett. suc. 7,2 — p. de terre 4 — lin — colza — houblon — bière 23,9 millions d'hl. **Élevage** (millions de têtes, 86) : bovins 5,1 — porcs 7,1 — beurre 150 000 t.

Mines et industries (millions de t, 86) : charbon 26,2 *(Ostrava-Karviná)* — lignite 102,5 *(Most, Sokolov)* — uranium *(Brdy, Příbram)* — fer (métal contenu) 0,47 — polymétaux — fonte 10 — acier 15 *(Ostrava, Kladno, Plzeň)* — automobiles 189 600 de tourisme, 92 200 utilitaires — industries mécaniques diversifiées — carbochimie et pétrochimie — engrais — chaussures *(Zlín-Gottwaldov)* — porcelaine — verre *(Jablonec)* — ciment 10,2 — filés de coton 142 200 t — filés de laine 58 000 t.

Électricité (86) : 85,5 milliards de kWh.

Communications (85) : voies ferrées 13 130 km — routes 74 891 km — voies navigables 475 km — flotte *(basée à Szczecin).* **Exportations** (86) : 121 777 millions de korunas (77 % vers pays socialistes) — machines et véhicules — combustibles et matières premières — biens de consommation. **Importations :** 124 819 millions de korunas (80 % en provenance pays socialistes) — machines — produits alimentaires — biens de consommation.

ITALIE régions (20)

1 Abruzzi
2 Basilicata
3 Calabria
4 Campania
5 Emilia-Romagna
6 Friuli-Venezia Giulia
7 Lazio
8 Liguria
9 Lombardia
10 Marche
11 Molise
12 Piemonte
13 Puglia
14 Sardegna
15 Sicilia
16 Toscana
17 Trentino-Alto Adige
18 Umbria
19 Valle d'Aosta
20 Veneto

YOUGOSLAVIE républiques socialistes (6)

1 Bosna i Hercegovina
2 Crna Gora
3 Hrvatska
4 Makedonija
5 Slovenija
6 Srbija
a) Kosovo
b) Vojvodina

13a Plaine du Pô 1:4 500 000

ITALIE

Repubblica Italiana ; 301 225 km² ; 57 100 000 hab. (est. 86). Capitale : *Rome (Roma), 2 827 000 hab. (est. 86).* Monnaie : *nouvelle lire.*

Divisions administratives : La Constitution avait prévu la division en 20 régions autonomes : 5 sont organisées (Sicile — Sardaigne — Aoste — Trentin/Haut-Adige — Frioul/Vénétie Julienne). Les 20 régions sont subdivisées en 94 provinces. **Villes** (milliers d'hab.) (86) : Milan (Milano) 1 515 — Naples (Napoli) 1 206 — Turin (Torino) 1 035 — Gênes (Genova) 735 — Palerme 719 — Bologne 437 — Florence (Firenze) 430 — Catane 376 — Bari 365 — Venise (Venezia) 334 — Messine 267 — Vérone 260 — Tarente 244 — Trieste 241 — Padoue 227 — Cagliari 223 — Une trentaine d'autres villes dépassent 100 000 hab.

ÉCONOMIE : pays traditionnellement agricole (6 % du revenu national), l'Italie s'est hissée au rang de très grande puissance industrielle. Cependant de graves disproportions subsistent entre le Nord, industriel, et le Sud *(Mezzogiorno)*, agricole : il reste à « étaler » la prospérité. **Population active** (86) : 23 millions — agriculture 11,9 % — industrie 34,5 % — tertiaire 53,6 %. **Agriculture** (86) : blé 27 % des terres cultivées — forêts 20 %. Les petits propriétaires exploitants ne disposent que de parcelles exiguës, un tiers des propriétés ont moins de 1 ha ; les vastes propriétés, de type capitaliste à agriculture intensive au Nord, ou *latifundia* au Sud, occupent 40 % du sol. **Production** (millions de t, 86) : blé 8,8 — maïs 6,5 — riz 1 *(plaine du Pô)* — bett. à sucre 10,4 (6ᵉ prod. mondial) — fruits — horticulture — tomates — vin 65 millions d'hl (2ᵉ prod. mondial) — huile d'olive 635 000 t. **Élevage** (millions de têtes, 86) : bovins 9,6 — moutons 9,8 — fromages 656 000 t *(Gorgonzola).*

Mines : insuffisance très nette de ressources minérales (milliers de t, 86) : fonte 11 870 — plomb 11,1 — zinc 26,3 — soufre — marbre *(Carrare).* **Énergie** (86) : pétrole 2,5 millions de t — gaz naturel *(plaine du Pô)* 16 milliards de m³ — capacité de raffinage 135 millions de t (4ᵉ rang mond.). **Électricité** (86) : 201,3 milliards de kWh dont 46 d'origine hydr.

Industries : le manque de fer et de charbon n'a pas empêché l'installation dans les ports *(Gênes, Piombino, Naples, Tarente)* d'une industrie sidérurgique puissante. **Production** (millions de t, 86) : fonte 11,8 — acier 22,8 — automobiles 1 652 800 véhicules de tourisme (Fiat à *Turin*) et 179 000 utilitaires — cyclomoteurs — machines à écrire et à calculer (Olivetti) — ciment 35,8 — acide sulfurique — soude caustique — superphosphates — engrais azotés — pétrochimie (Montecatini) — textiles artificiels et synthétiques — filés de coton 150 000 t (83) — ind. alimentaires (pâtes à la farine de blé dur).

Communications (85) : voies ferrées 19 726 km — routes 299 700 km (7 000 km d'autoroutes, dont *Milan, Rome, Naples*) — flotte 7,8 millions de tonneaux — trafic aérien (86) : 17,9 milliards de passagers-km et 0,74 milliard de t/km de fret. **Exportations** (86) : 145 323 milliards de lires — fruits — primeurs — fleurs — vin — fibres artificielles — métaux — automobiles — produits chimiques. **Clients** (46 % vers les pays du Marché commun) : Rép. féd. d'Allemagne 18,1 % — France 15,6 % — États-Unis — Suisse — Royaume-Uni. **Importations** : 149 045 milliards de lires — maïs — café — viande — coton et laine — caoutchouc — combustibles. **Fournisseurs** (45 % en provenance des pays du Marché commun) : Rép. féd. d'Allemagne 20 % — France 14,5 % — États-Unis 5,6 %. **Tourisme** : 28,5 millions de visiteurs (85).

SAINT-MARIN

Repubblica di San Marino ; 61 km² ; 22 500 hab. (est. 80) ; république (deux capitaines régents). Capitale : *Saint-Marin (est. 80) 5 500 hab.* Monnaie : *lire de Saint-Marin (= lire italienne).*

ÉCONOMIE : agriculture — tourisme : 4 millions de visiteurs en moyenne par an.

VATICAN

Stato della Citta del Vaticano ; 44 ha ; 1 000 hab. (est. 86). Monnaie : *lire italienne.*
Langues officielles : *latin, italien. L'État libre de la Cité du Vatican résulte du traité
du Latran (11-2-1929). Cité administrée par un gouverneur, frappe sa monnaie et
émet ses timbres-poste.*

MALTE

État de Malte, 316 km² ; 380 000 hab. (est. 86), membre du Commonwealth.
Capitale : *La Valette (Valleta) 14 164 hab. (est. 80).* Monnaie : *livre maltaise, au
pair de la livre sterling.*

ÉCONOMIE : active et très performante. Agriculture tournée vers l'exportation. 140 km² cultivés (blé, orge, p. de terre [17 % des terres arables], fruits et primeurs, raisins). **Élevage** : chèvres — porcs — moutons — bovins. Industrie prospère. Base navale. **Tourisme** : 550 000 visiteurs en 86.

YOUGOSLAVIE

*Federativna Socijalisticka Republika Jugoslavija ; 255 804 km² ; (est. 86)
23 250 000 hab.* Capitale : *Belgrade (Beograd) 1 500 000 hab. (est. 86).* Monnaie :
dinar.

Divisions administratives : 6 républiques formant un État fédéral et multinational : Serbie (divisée en Serbie étroite, et prov. autonomes de Vojvodine et de Kosovo/Metohija) — Croatie — Slovénie — Macédoine — Monténégro — Bosnie/Herzégovine. **Villes** (81) : Zagreb 763 — Skopje 503 — Sarajevo 447 — Novi Sad 257 — Ljubljana 253 — Pristina 216.

ÉCONOMIE : agriculture individuelle (85 % des terres cultivées) et exploitations collectives (zadrougas), minerais rares et industries variées alimentent un commerce actif. **Agriculture** (millions de t, 86) : maïs 12,5 — blé 4,8 — p. de terre 2,5 — bett. suc. 5,9 — tabac — chanvre — pavot — fruits et agrumes — vin 6,9 millions d'hl — forêts, 35 % de la sup. produisent 22,6 millions de m³ de bois (85). **Élevage** (millions de têtes, 86) : bovins 5 — moutons 7,7 — porcs 7,8. **Mines et industries** (millions de t, 86) : lignite 56,6 — pétrole 4,2 — bauxite 3,5 — cuivre — molybdène — tungstène — mercure — acier 5,2 — ciment 9,1 — fonderies de métaux non ferreux — plastiques — tapis. **Tourisme** : 8,4 millions de visiteurs en 86. **Électricité** (86) : 76,7 milliards de kWh. **Communications** (86) : voies ferrées 9 283 km — routes 115 787 km (67 000 asphaltées) — voies navigables 1 673 km — flotte (86) 2,8 millions de tonneaux. **Exportations** (86) : 2 724 milliards de dinars — bois — métaux non ferreux — prod. agricoles. **Importations** : 3 108 milliards de dinars — biens d'équipement — métaux — produits chimiques, textiles et alimentaires.

ALBANIE

Republika Popullòre e Shqipërisë ; 28 748 km² ; 2 950 000 hab. (est. 86). Capitale :
Tirana 250 000 hab. (est. 86). Monnaie : *lek (nouveau).*

Divisions administratives : 26 districts. **Villes** (milliers d'hab., est. 82) : Durrës (Durazzo) 72 — Skhodër (Scutari) 70 — Elbasan 68 — Vlónë (Valona) 60 — Korçë (Korça) 58.

ÉCONOMIE (totalement étatisée) : agriculture améliorée par irrigation, exploitation minière et industrie en voie de développement. **Agriculture** (60 % de la pop. active) : maïs — blé — tabac — agrumes — olives — riz — coton. **Élevage** (millions de têtes, 86) : bovins 0,6 — moutons 1,2 — chèvres 0,7. **Mines et industries** (86) : chrome 397 000 t — cuivre 15 000 t — pétrole 3 500 000 t — ind. textiles et alimentaires. **Communications** : routes 3 100 km. **Exportations** : minerais — prod. agricoles. **Importations** : machines — acier. (L'Albanie ne fournit aucune indication concernant son commerce extérieur.)

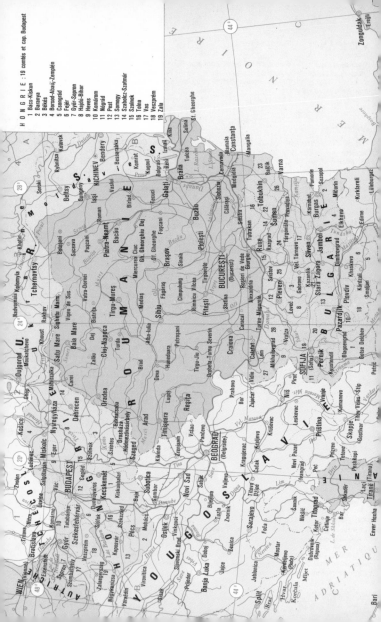

BULGARIE : 28 régions

1 Blagoevgrad
2 Burgas
3 Gabrovo
4 Jambol
5 Kardžali
6 Chaskovo
7 Kjustendil
8 Loveč
9 Mikhajlovgrad
10 Pazardžik
11 Pernik
12 Pleven
13 Plovdiv
14 Razgrad
15 Ruse
16 Silistra
17 Sliven
18 Smoljan
19 Sofija
20 Sofija (ville)
21 Stara Zagora
22 Šumen
23 Tolbukhin
24 Targovište
25 Veliko Tǎrnovo
26 Varna
27 Vidin
28 Vratza

GRÈCE : 9 régions

1 Crète
2 Épire
3 Grèce Centrale et Eubée
4 Îles Égées
5 Îles Ioniennes
6 Macédoine
7 Péloponnèse
8 Thessalie
9 Thrace

ROUMANIE : 39 régions
et a capitale Bucureşti

GRÈCE

Ellinike demokratia; 131 944 km²; 10 000 000 d'hab. (est. 86); république. Capitale : *Athènes 885 136 hab. (81) [aggl. 3 200 000 incluant Le Pirée].* Monnaie : *drachme.*

Divisions administratives : 9 provinces historiques (7 depuis 1974) (Grèce centrale et Eubée — Péloponnèse — Iles Ioniennes — Thessalie — Macédoine — Épire — Crète — Archipel de l'Égée — Thrace) et 52 préfectures *(nomoi).* **Villes** (milliers d'hab.) : Salonique (Thessalonie) 406 [557 avec aggl. (81)] — Le Pirée 183 (79) — Patras 144 — Larissa 103 — Candie (Hérakleion) 101.

Adhère à la C.E.E. depuis janv. 1981.

ÉCONOMIE : bénéficie de l'aide des organisations internationales et de l'investissement de capitaux étrangers (*Philips, Pirelli, Benz, Péchiney,* etc.), et profite d'un apport considérable (moitié de la valeur des importations) de « ressources invisibles » (marine, 3e rang mondial). **Agriculture** (30 % de la pop. active) : tiers du territoire cultivé, rendements faibles. Irrigation des plaines et spécialisation des cultures. **Production** (86) : blé 2,2 millions de t — olives 1,5 million de t — huile d'olive 308 000 t — agrumes 1 067 000 t — raisins (9e prod. mond.) *(Corinthe)* — fruits et légumes — tabac *(Macédoine)* 153 000 t — vin 5,3 millions d'hl. **Élevage** (millions de têtes, 86) : bovins 0,7 (85) — moutons 10,1 — chèvres 4,5 (80). **Pêche** 115 300 t. **Mines et industries** (86) : lignite 38,1 millions de t — bauxite 2,2 millions de t — magnésite — pyrites de fer — zinc — plomb 19 300 t — const. navales 17 800 tjb — aluminium 124 400 t — ciment 12 826 000 t — conserves (raisins secs). **Électricité** (86) : 26 milliards de kWh. **Tourisme** (86) : 6,7 millions de visiteurs *(Athènes, Olympie, Corinthe, Mycènes, Épidaure, Candie).* **Communications** : voies ferrées 2 479 km — routes 37 365 km (32 320 asphaltées) — flotte (86) : 28,4 millions de tonneaux. **Exportations** (86) : 790 milliards de drachmes — tabac — vin — coton — minerais — huile d'olive. **Importations :** 1 587 milliards de drachmes — machines et équipement — prod. alimentaires.

BULGARIE

Narodna Republika Bulgaria; 110 912 km²; 9 000 000 d'hab. (est. 86). Capitale : *Sofia (Sofiya) 1 114 000 hab. (84).* Monnaie : *lev (pluriel : leva).*

Divisions administratives : 28 provinces. **Villes** (milliers d'hab., 84) : Plovdiv 377 — Varna 297 — Ruse (Ruschuk) 185 — Burgas 188 — Stara Zagora 151 — Pleven 148 — Sliven 107.

ÉCONOMIE : collectivisation des terres à 90 % et maintien de 10 % du sol en lopins individuels (cultures spécialisées) produisant 25 % en valeur du revenu agricole global. L'industrie, entièrement nationalisée, se privatise peu à peu après un rude essor (5,4 % en 85). **Agriculture** (millions de t, 86) : blé 4 — maïs 2,7 — sucre de bet. 0,17 — coton — tabac (8e prod. mond.) — légumes et fleurs *(roses de Kazanlik).* **Élevage** (millions de têtes, 86) : moutons 9,7 — bovins 1,7. **Mines et industries** (millions de t, 86) : lignite 34 — houille 0,2 — acier 2,5 — plomb 96 000 t — zinc 65 000 t — sel — ciment 5,4 — conserves de légumes et fruits — filés de coton 82 800 t — filés de laine 23 800 t. **Électricité** (86) : 41,8 milliards de kWh. **Communications** (86) : voies ferrées 4 341 km — routes 37 691 km (dont 1/3 asphaltées) — flotte (86) : 1 385 000 tonneaux (1/3 pétroliers). **Exportations** (86) : 13,7 milliards de leva — produits alimentaires — tabac — tissus. **Importations :** 14 milliards de leva — biens d'équipement — matières premières. La moitié des échanges extérieurs bulgares se fait avec l'U.R.S.S.

ROUMANIE

Republica Socialista România; 237 500 km²; 22 900 000 hab. (est. 86). Capitale : *Bucarest (Bucaresti) 2 090 000 hab. (86).* Monnaie : *lev (pluriel : lei ; pour opérations commerciales) et rol (non commerciales).*

Divisions administratives : 40 districts *(judet)* **Villes** (milliers d'hab., 84, avec aggl.) : Brasov 334 — Constantza 318 — Iasi 310 — Timisoara 309 — Cluj 299 — Galatz 286 — Craiova 267 — Ploesti 232 — Braila 228 — Oradea Maré 206 — Arad 182 — Sibu (Hermannstadt) 173.

ROUMANIE (suite)

ÉCONOMIE : Équilibre entre les prod. agricoles et une ind. stimulée par des ressources énergétiques importantes. **Agriculture :** collectivisation à 90 %. Répartition des terres arables 44 % du territoire — prairies 18,8 % — forêts et bois 26,4 %. **Prod. agricoles** (millions de t, 86) : blé 8,5 — maïs 17 (7ᵉ prod. mond.) — orge 2,5 — p. de terre 6,5 — vin 9 millions d'hl — tabac — raisins — fruits — légumes — bois rond 24,1 millions de m³ (85). **Élevage** (millions de têtes, 86) : bovins 6,8 — moutons 18,6 — porcs 14,3 (8ᵉ rang mond.) — chevaux.

Mines et énergie (millions de t, 86) : charbon 8,6 (85), *(Petrosani et Banat)* — lignite 37,9 (85) *(Munténie et Olténie)* — pétrole 10,5 *(Ploesti, Arges, Bacau,* 3ᵉ prod. européen) — capacité de raffinage 30,9 — gaz naturel 38,5 milliards de m³ *(Transylvanie)* — fer (minerai) 520 000 t *(Resita)* — bauxite *(Bihor)* — manganèse — plomb et zinc aurifère *(Baia Mare)* — chrome et nickel — sel. **Électricité** (86) : 75,5 milliards de kWh (surtout thermique ; début d'exploitation du potentiel hydr.). **Industries** (86) : acier 14,2 millions de t *(Hunedora, Resita, Galatz)* — automobiles (85) : 134 400 et 20 400 véhicules industriels *(Brasov)* — aluminium — machines agricoles — caoutchouc synthétique — soude caustique — pâte à papier — ciment 12,2 millions de t (86) — filés de coton 172 000 t (83) — filés de laine 72 000 t (85). **Communications** (82) : voies ferrées 11 030 km — routes 77 950 km — flotte (86) 3 234 000 tonneaux — voies navigables 1 800 km env. (64 km ouverts entre le Danube et la mer Noire en 1984). **Exportations** (84) : 228,1 milliards de lei — pétrole — ciment — produits agricoles — bois — tracteurs. **Importations** (84) : 160,8 milliards de lei — fer — coke — biens de consommation.

HONGRIE

Magyar Népköztarsasag ; 93 030 km² ; 10 700 000 hab. (est. 86) ; république.
Capitale : Budapest 2 000 000 d'hab. (est. 86). Monnaie : forint.

Divisions administratives : 19 comtés *(megye)* et 5 districts urbains (dont la capitale). **Villes** (milliers d'hab., 85) : Miskolc 212 — Debrecen 212 — Szeged 183 — Pécs 177 — Györ 129.

ÉCONOMIE : Organisée par des plans quinquennaux, tendant au développement de l'industrie dans un pays où l'agriculture est un succès (58 % du sol est cultivé), celle-ci prend de plus en plus d'importance grâce à un sous-sol riche et aux ressources énergétiques. **Agriculture** (millions de t, 86) : blé 5,8 — maïs (pour l'élevage) 6,6 — bett. suc. 4 — vin 2,7 millions d'hl — graines de tournesol — chanvre — légumes et fruits. **Élevage** (millions de têtes, 86) : bovins 1,7 — ovins 2,8 — porcs 8,3 — lait 2,7 millions de t — viande 1,5.

Mines et industries (millions de t, 86) : houille 2,3 — lignite et charbon brun *(Bakony)* 20,8 — pétrole 2 — raff. *(Szazhalombatta,* près de Budapest) — gaz 7,2 milliards de m³ — bauxite 3 — manganèse — uranium — acier 3,7 *(Dunaujvaros)* — aluminium 0,07 — ciment 3,8 — filés de coton 59 200 t — machines — mat. élect. — prod. chimiques, textiles et alimentaires.

Électricité (86) : 35 milliards de kWh.

Communications : voies ferrées 13 313 km — routes 29 633 km — voies navigables 1 690 km. **Exportations** (86) : 402,3 milliards de forints — machines — bauxite — tissus. **Importations :** 439,7 milliards de forints — charbon — fer — pétrole — coke — machines et biens d'équipement.

ISLANDE

Lydveldid Island ; 103 000 km² ; 240 000 hab. (est. 86) ; république. Capitale :
Reykjavik 90 000 hab. (est. 86). Monnaie : la nouvelle couronne (Krôna).

Villes (milliers d'hab., 85) : Kopavogur 14,6 — Akureyri 13,7 — Hafnarfjörour 13,2 — Keflavik 6,9.

Économie : La pêche est la 1ʳᵉ activité du pays (9 % de la pop. active). 1ᵉʳ pays pêcheur (3 000 kg par habitant [France 14 kg] en 1986. Moutons 770 000 têtes (86) — cultures de légumes et fruits sous serre, réchauffées par les sources chaudes. Pays essentiellement volcanique (11 % de glaciers). **Pêche** (86) : 1 620 100 t — baleines 115 unités (86) — poisson salé.

Électricité : 3,9 milliards de kWh (à 95 % hydro-électricité).

Exportations : prod. de la pêche. **Importations :** pétrole — prod. alimentaires — équipement industriel.

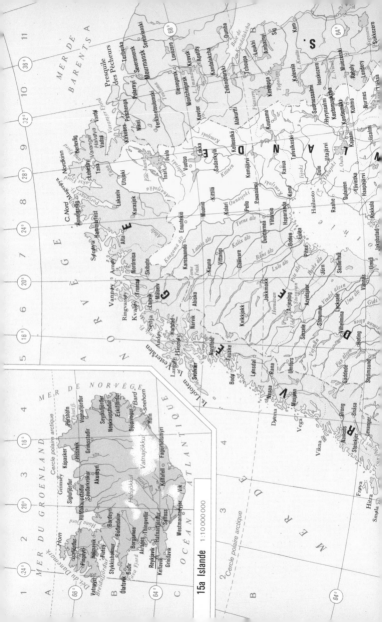

DANEMARK

Kongeriget Danmark ; 43 069 km² ; 5 112 000 hab. (est. 86) ; monarchie. Capitale :
Copenhague (København) (86) 626 900 hab. [agglomération : 1 551 999]. Monnaie :
krone.

Divisions administratives : 277 communes formant 14 comtés et 2 districts urbains. **Villes** (milliers d'hab., 86) : Aarhus 253 — Odense 172 — Aalborg 155 — Esbjerg 80 — Randers 61.

ÉCONOMIE : agriculture intensive, élevage moderne et industrie en plein essor ; production de pétrole depuis 1980 et de gaz depuis 1984. **Agriculture :** 63 % du sol cultivé (millions de t, 86) : blé 2,1 — avoine 0,1 — orge 5,2 — bett. suc. 3,1 — p. de terre 1,1. **Élevage** (millions de têtes, 86) : bovins 2,5 — porcs 9,4 — lait 5,2 millions de t — beurre 113 000 t — fromage 261 000 t — viande 1,5 million de t. **Pêche** (86) : 1,95 million de t. **Industries** (millions de t, 86) : pétrole 3,6 — gaz 1 milliard de m³ — const. navales 312,7 tonneaux — ciment 1,2 — conserves de poisson — margarine — bière. **Électricité** (86) : 30 milliards de kWh. **Communications** (85) : voies ferrées 2 500 km — routes 70 170 km — flotte (86) : 4,6 millions de tonneaux. **Exportations** (86) : 171,6 milliards de krone — viande — machines — prod. alimentaires. **Importations :** 184,6 milliards de krone — gaz — machines — combustibles et mat. premières.

TERRITOIRES D'OUTRE-MER : Iles Féroé (page 71) — Groenland (page 142).

NORVÈGE

Kongeriket Norge ; 324 219 km² ; 4 160 000 hab. (est. 86) ; monarchie. Capitale :
Oslo 450 000 hab. (86). Monnaie : *krone.*

Divisions administratives : 20 districts. **Villes** (milliers d'hab., 1.1.86) : Bergen 209 — Trondheim 134 — Stavanger 95 — Kristiansund 62.

ÉCONOMIE : réserves importantes de pétrole et de gaz ; économie tournée aussi vers les activités de la mer (pêche, flotte marchande). **Agriculture :** 79 % du sol improductif — 18 % en forêts — 2,7 % cultivable : plantes fourragères — céréales — p. de terre. **Élevage** (millions de têtes, 86) : bovins 0,9 — ovins 2,4 — porcs 0,7 — rennes. **Pêche** (86) : 1 900 000 t. **Bois et papier** (85) : bois rond 9,5 millions de m³ — pâte à papier : 1 146 300 t mécanique et 80 800 t chimique — papier 1 672 600 t. **Mines et industries** (millions de t, 85) : houille 0,6 — fer (métal contenu) 2,3 — acier 0,8 — const. navales 67 600 tonneaux — aluminium 0,7 — pyrite — titane — engrais azotés — ciment 1;7. **Électricité** (86) : 97 milliards de kWh (la plus forte prod. par hab.). **Communications** (85) : voies ferrées 4 300 km — routes 86 000 km — flotte 9,3 millions de tonneaux (86). **Exportations** (86) : 133,8 milliards de krone — aluminium et minerais — cellulose et papier — produits de la pêche. **Importations :** 150 milliards de krone — machines et navires — pétrole — fonte — textiles.

POSSESSIONS EXTÉRIEURES : Iles Spitzberg (Svalbard) et Jan Mayen (page 71), Ile Bouvet (Atl. S. : 59 km²) et dans l'Antarctique (page 178).

SUÈDE

Konungariket Sverige ; 449 964 km² (dont 9 121 km² de lacs) ; 8 350 000 hab. (est. 86) ; monarchie. Capitale : *Stockholm 650 000 hab. [agglomération : 1 400 000 hab.] (86).* Monnaie : *krone.*

Divisions administratives : 25 provinces et le district urbain de Stockholm. **Villes** (milliers d'hab., 31.12.85) : Göteborg 325 — Malmö 223 — Uppsala 154 — Norrköping 118 — Orebro 118 — Vasteras 117 — Linköping 116 — Jonkoping 107 — Helsingborg 101.

ÉCONOMIE : bois et fer sont le fondement d'industries modernes et l'agriculture, orientée vers l'élevage, est excédentaire. **Agriculture :** 7 % des terres cultivées — 5 250 km² sont en prairies et 225 000 km² en forêts. **Productions** (millions de t, 86) : avoine 1,4 — orge 2,3 — p. de terre 1,4 — bett. suc. 2,2. **Élevage** (millions de têtes, 86) : bovins 1,7 — porcs 2,4 — lait 3,5. **Pêche** (86) 210 700 t.

SUÈDE (suite)

Bois et ind. dérivées (86) : bois rond 51 millions de m³ — pâte à papier 5,7 millions de t — papier 7 millions de t — cellulose (10 % du total mondial) — allumettes. **Mines et industries** (millions de t, 86) : fer (métal contenu) 12,7 (*Laponie et Bergslag*) — acier 4,7 — automobiles 400 000 de tourisme (Volvo) 60 000 utilitaires (85) — const. navales 65 400 tonneaux — aluminium 73 100 t — roulement à billes (S.K.F., *Göteborg*) — aciers spéciaux — matériel de précision et appareils ménagers — ciment 2,3 — acide sulfurique — ind. chimiques, textiles et alimentaires. **Électricité** (86) : 143,1 milliards de kWh (59 % d'origine hydr.), dont 69,9 milliards d'origine nucléaire. **Communications** (86) : voies ferrées 11 800 km (60 % électrifiées) — routes 136 418 km — flotte 2,5 millions de tonneaux. **Exportations** (86) : 265 milliards de krôna — produits bruts (bois, fibres, minerais) — prod. semi-fabriqués (papier, textiles, métaux) — machines (calculatrices). **Importations** : 231,4 milliards de krôna — produits alimentaires — combustibles — machines et produits manufacturés. 68,3 % des achats se font avec la C.E.E.

FINLANDE

Suomen Tasavalta — Republiken Finland ; 337 009 km² (dont 31 613 km² occupés par les lacs), 4 900 000 hab. (est. 86). Capitale : Helsinki (Helsingfors) 500 000 hab. [aggl. 953 000] (86). Monnaie : mark finlandais (markka).

Divisions administratives : 12 départements. **Villes** (milliers d'hab., 1.86) : Tampere (Tammerfors) 168 [aggl. 253] — Turku (Abo) 169 [258] — Espoo 156 — Vanda 144.

ÉCONOMIE : fondée sur l'exploitation du bois. **Agriculture** : céréales — p. de terre — fourrages artificiels. **Élevage** (millions de têtes, 86) : bovins 1,6 — porcs 1,2 — lait 3 millions de t. **Bois et papier** (86) : bois rond 41,7 millions de m³ — pâte de bois (85) 2,9 millions de t mécanique et 3,3 chimique — cellulose (15 % de la prod. mond.) — papier journal 1,3 million de t — autres papiers (85) 2,6. **Mines** (86) : cobalt 1 348 t — vanadium. **Industries** (86) : acier 2 580 000 t — const. navales 216 600 tonneaux. **Électricité** (86) : 44,1 milliards de kWh (40 % hydr.) — Raffinage de pétrole (86) 12 millions de t. **Communications** (1.86) : voies ferrées 6 000 km — routes 76 060 km — flotte (85) 1,4 million de tonneaux (1/3 pétroliers). **Exportations** (86) : 82,5 milliards de marks — industries du bois et du papier 38 %. **Importations** : 77,5 milliards de marks — combustibles — métaux — machines — produits finis.

TERRITOIRES NON SOUVERAINS

Possessions danoises

ILES FÉROÉ : 1 399 km² — 42 000 hab. (est. 86) — Thorshavn 13 534 hab. (80) ; centre de l'administration autonome — Deux députés au Parlement danois. **Ressources** : pêche 32 000 t (34 % du P.N.B.) — ovins.

Possessions norvégiennes

SPITZBERG (Svalbard) 62 050 km² — 3 640 hab. (79) y compris l'île de l'Ours. **Ressources** : charbon, exporté vers Norvège et U.R.S.S. — prospection pétrolière en cours.

ILE JAN MAYEN 372 km² — le seul peuplement est le personnel de la station radio et celui de la station météo.

Possessions du Royaume-Uni

GIBRALTAR. Colonie britannique, administrée par un gouverneur, 5,5 km², 30 000 hab. (est. 86). Base navale et aérienne importante. **Ressources** : essentiellement secteur tertiaire et tourisme.

ILES ANGLO-NORMANDES : 195 km² — 130 000 hab. (est. 86) — comprennent : Jersey — Guernesey — Aurigny — Brecqhou — Herm — Jethou — Libou et les îles Sercq. **Langues officielles** : à Jersey, le français, à Guernesey et dépendances : l'anglais.

ILE DE MAN : 588 km², 65 000 hab. (est. 86). **Villes** (milliers d'hab., 86) : Douglas 20 — Ramsey 4 — Peel 2,5. Le tourisme est la 1re richesse.

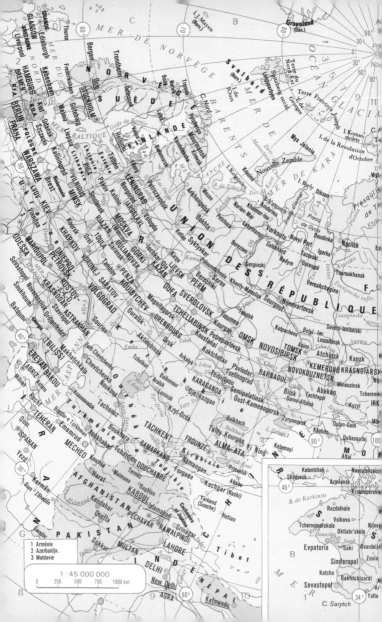

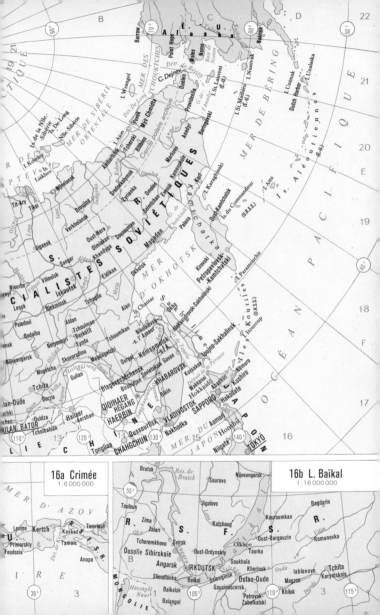

UNION DES RÉPUBLIQUES SOCIALISTES SOVIÉTIQUES — U.R.S.S.

Soyuz Sovyetskikh Sotsialisticheskikh Respublik : 22 402 000 km² ; 276 000 000 habitants (est. 86). Union de 15 républiques socialistes. Capitale : *Moscou (Moskva) : 8 714 000 hab. (aggl. au 1.1.86). Monnaie : rouble.*

Divisions administratives : 15 républiques fédérées (voir p. 79). Dans chaque république, l'unité administrative est le district. En outre, à l'intérieur de certaines républiques, il y a des républiques autonomes, des régions nationales autonomes, des districts autonomes. Pour accroître l'efficacité de l'administration, il a été établi *18 territoires économiques de base et 47 territoires économiques administratifs*. **Langues officielles** : chaque république a sa langue officielle à laquelle s'ajoutent, à l'intérieur de ses frontières, des langues régionales.

Villes (milliers d'habitants) (aggl., est. 1981). Localisation régionale.

Moscou (Russie)	8 714	Tbilissi (Géorgie)	1 174	Saratov (Russie)	907
Leningrad (Russie)	4 904	Erevan (Arménie)	1 148	Riga (Lettonie)	890
Kiev (Ukraine)	2 495	Odessa (Ukraine)	1 132	Zaporojié (Ukraine)	863
Tachkent (Ouzbékie)	2 077	Omsk (Russie)	1 122	Voronej (Russie)	860
Bakou (Azerbaïdjan)	1 722	Donetsk (Ukraine)	1 081	Krasnoiarsk (Russie)	781
Kharkov (Ukraine)	1 567	Alma-Ata (Kazhakie)	1 068	Lvov (Ukraine)	753
Minsk (Biélorussie)	1 510	Kazan (Russie)	1 065	Krivoï Rog (Ukraine)	691
Gorki (Russie)	1 409	Rostov (Russie)	992	Karaganda (Kazhakie)	624
Novosibirsk (Russie)	1 405	Volgograd (Russie)	981	Vladivostok (Russie)	608
Dniepropetrovsk				Irkoutsk (Russie)	601
(Ukraine)	1 315			Khabarovsk (Russie)	584

Plus de 120 autres villes dépassent 100 000 habitants.

15c Moscou
1:350 000

U.R.S.S. ÉCONOMIE

L'U.R.S.S. est aujourd'hui l'une des deux grandes puissances mondiales. La surface cultivée est la plus vaste du monde. L'U.R.S.S. est le 1er producteur mondial pour le seigle (38 %), l'orge (27,9 %), l'avoine (35 %), la p. de terre (29 %), la bett. à sucre (29 %), le lait (21 %), le tournesol (31 %), le bois. 2e prod. mond. pour le blé (16,6 %) et le coton (17,4 %).
L'U.R.S.S. vient en tête, en 1986, pour la production de fer (métal contenu) avec 31 %, pour le plomb (16 %) et de nombreux métaux rares. Elle est au 3e rang pour l'argent (12 %). Sur le plan de l'énergie, avec 21 % du pétrole et 36,5 % du gaz naturel, elle supplante les E.U. et se classe au 2e rang pour le lignite (13,5 %), l'électricité (16 %) et au 3e rang pour la houille (16 %).
Premier producteur de ciment et d'acier, de filés de laine, l'U.R.S.S. occupe la troisième place pour les véhicules utilitaires. Quatrième producteur de bauxite (7 %), l'U.R.S.S. est le second producteur d'aluminium.
Depuis 1928, l'économie est organisée selon des « plans » : cinq plans quinquennaux jusqu'en 1957, dont l'un interrompu par la Seconde Guerre mondiale. En 1959, avait été mis en place un plan de 7 ans ; depuis, reprise des plans quinquennaux.
Entre 1983 et 1986, la croissance du P.N.B. a été de + 3 % en moyenne par an. Les biens de consommation ont crû plus vite que les biens d'équipement (effort spécial pour les véhicules de tourisme). En 1986, l'accent a été mis sur une libéralisation importante des activités économiques.
Le quart des terres est utilisé pour la production agricole. Un gros effort a été fait pour la bonification des terres depuis 1976. Mais la balance alimentaire reste déficitaire.
Les pourcentages de charbon extrait (2 % en 1913 et 20 % en 1979), ou d'acier produit (5 % et 19 %), montrent mieux les progrès réalisés, au niveau de l'industrie.

Population active (86) : agriculture, forêts, pêche 17 % — industrie 39 % — secteur tertiaire 44 %.

AGRICULTURE : environ 43 % des terres sont incultes, 41 % en forêts, 6 % en pâturages et 10 % représentent des terres arables (2 128 000 km²).
Les **kolkhozes** (26 171 en 85) sont des coopératives associant jusqu'à dix villages. Ils occupent 4,6 millions de km² dont 0,9 cultivé. Les kolkhoziens reçoivent un salaire, une part des produits et des bénéfices et peuvent cultiver un jardin et ont peu d'élevage.
Les **sovkhozes** (22 515) sont des domaines gérés par l'État. Leur superficie est de 5,7 millions de km² dont 1,1 million cultivé. Ils ont un rôle expérimental et pionnier.

La mécanisation se poursuit ...	1928	1940	1956	1968	1979	1985
Tracteurs agricoles (milliers) ..	27	531	870	1 821	2 303	2 755
Moissonneuses (milliers)	—	182	375	580	679	815
Camions (milliers)	0,7	228	631	954	1 103	—

Productions agricoles (millions de t, 86) : blé 92 *(zones des terres noires, Ukraine, Kouban, Kazakhie Nord, Sibérie Sud-Ouest)* — seigle 15 *(Russie de l'Ouest et du Nord)* — orge 51,4 — avoine 21 — maïs 12,5 *(Ukraine)* — riz 2,6 *(Kouban, Asie centrale, Caucase)* — p. de terre 87,2 *(Russie centrale)* — betterave sucr. 79,3 *(Ukraine)* — sucre 8,3 — coton, fibres 2,5 et graines 5,1 *(2e prod. mond.) (Azerbaïdjan, Asie centrale)* — tournesol, graines 5,2 *(sud Russie)* — lin, fibres 0,4 (85) *(région balte)* — chanvre — tabac 0,4 *(Ukraine, Transcaucasie)* — thé 158 000 t *(Géorgie)* — fruits — vin 30 000 000 d'hl *(Transcaucasie, Moldavie, Asie centrale)* — mûrier *(Caucase, Asie centrale)* — agrumes *(Géorgie)*.

Élevage (millions de têtes, 86) : bovins 120 — moutons 140,8 — porcs 77,7 — lait 101 millions de t — beurre 1,6 million de t — fromage 1,7 million de t — viande 17,7 millions de t — pêche 11,1 millions de t.

ÉNERGIE ET MINES (millions de t, 86) : houille *(Donbass 35 %, Kouzbass 15 %)* et lignite 167 — pétrole 615 *(second Bakou, Bakou)* — gaz naturel 685 milliards de m³ — tourbe (1er. prod. mond.) — schistes bitumineux — électricité 1 599 milliards de kWh (dont 13 % hydro-électricité : *Bratsk* sur l'Angara, 4,5 millions de kWh — *Krasnoiarsk* 6 — *Volgograd* 2,5 — *Sayano-Shusbenskaya* 6,4) — fer (métal contenu) 150 millions de t *(Krivoï-Rog, Oural, Asie centrale)* — manganèse 3,4 *(Nikopol, Tchiatoura)* — cuivre 1,1 *(Kazakhie, Oural, Caucase)* — bauxite et néphéline 6,2 *(Oural, Kouzbass)* — zinc 1 030 000 t — plomb 0,8 — chrome — platine — or — argent — diamants — sels — sels de potassium — uranium *(sud-est de Tachkent — Ardidjan — Arménie)*.

17a Oural 1:10 000 000

U.R.S.S. ÉCONOMIE (suite)

INDUSTRIES. De 1913 à 1971, le volume global de la production industrielle a été multiplié par 91. La priorité avait été donnée, en 1961, aux moyens de production (+ 58 %), les biens de consommation augmentant moins vite (+ 36 %) ; la situation s'est inversée depuis 1966. L'augmentation de la production industrielle de 1960 à 1971 a été de 140 %, supérieure à celle des États-Unis. Mais la valeur de ces chiffres est d'ordre strictement quantitatif. La mauvaise qualité des objets manufacturés empêche leur exportation. Ce n'est que grâce au secteur minier que l'U.R.S.S. atteint le 2ᵉ rang des puissances économiques.

Métallurgie (millions de t, 1986) : fonte 113,3 — acier 161 — laminés 112 *(Donbass, Oural, Kouzbass)* — aluminium 2,3 — cuivre de fonderie 1,1 — plomb 0,8 — zinc 1.

Construction de machines (en milliers d'unités) (85) : machines-outils *(Moscou, Leningrad, Kharkov, Gorki, Kiev, Minsk)* — équipements métalliques *(Sverdlovsk, Volgograd, Grozniy)* — matériel d'usines, turbines, locomotives *(Lougansk, Kharkov, Kolomna)* — wagons de chemin de fer *(Nijni-Taghil)* — véhicules utilitaires 900 — voitures de tourisme 1 300 *(Gorki, Moscou, Iaroslavl, Minsk)* — tracteurs 557 (79) *(Volgograd, Kharkov, Minsk)* — moissonneuses — matériel agricole *(Rostov, Zaporojie, Kirovograd, Kharkov)* — matériel pour ind. textile *(Moscou, Leningrad, Ivanovo, Tachkent).*

Industries chimiques *(Oural, régions de Moscou et de la Volga)* (millions de t, 86) — acide sulfurique 27,9 — engrais minér. 34,7 — papier 6,2 — ciment 135.

Industries textiles (millions de t, 86) : filés de coton 1,6 — filés de laine 0,43 — textiles synthétiques 746 800 t — tissus (milliards de m²) coton 7,6 — laine 0,5 — lin 0,8 — soie.

Communications (86) : voies ferrées 144 900 km (58 000 en 1913) dont 56 % électrifiées ou diésélisées — les grandes voies transcontinentales vers le sud et l'est sont : *Transcaucasien, Transcaspien, Transaralien, Transsibérien, Youjsib (sud sibérien), Tuksib, Transmongolien* — routes 1 426 700 km — automobiles 11 millions — voies navigables 142 600 km — oléoducs 70 800 km (81) — gazoducs 124 000 km — flotte de commerce (86) 24,9 millions de tonneaux.
Ports : mer Noire *(Odessa, Rostov, Batoum),* Baltique *(Riga, Leningrad),* océan Arctique *(Arkhangelsk, Mourmansk)* — Pacifique *(Vladivostok).*

Commerce extérieur : L'U.R.S.S. occupe le 6ᵉ rang mondial pour le volume de son commerce. 55 % de ce commerce s'effectuent avec les pays membres du Comecon, 27 % avec les pays capitalistes, 13 % avec les pays en voie de développement (en 1985). **Exportations** (86) : 68,3 milliards de roubles — pétrole — charbon — gaz — minerais de fer et de manganèse — bois — papier — coton brut — fourrures — tracteurs. **Clients :** pays socialistes 55 %, pays capitalistes développés 25,6 %, pays en voie de développement (P.V.D.) 13 %. **Importations** : 62,5 milliards de roubles — matériel et équipement industriel — céréales — minerais et métaux — textiles — biens de consommation — produits tropicaux. **Fournisseurs :** pays socialistes 54,5 %, pays capitalistes développés 27 %, P.V.D. 11 %.

COMPARAISON U.R.S.S. ET ÉTATS-UNIS
en pourcentage du total mondial (calculs effectués à partir des chiffres de l'O.N.U. en 86)

	U.R.S.S.	E.U.		U.R.S.S.	E.U.
Superficie (% des terres)	16,5 %	7 %	Électricité	16,9 %	26,3 %
Population	6 %	5 %	Centrales nucléaires	11,2 %	31 %
Blé	17,2 %	10,6 %	Fer (métal contenu)	27,7 %	4,6 %
Maïs	2,6 %	43 %	Fonte	22 %	7,8 %
Pomme de terre	28,3 %	5 %	Acier	22,5 %	10,2 %
Sucre (bet.)	27,8 %	7,9 %	Bauxite	6,8 %	0,5 %
Coton (graines)	16,9 %	14 %	Aluminium	15,1 %	19,6 %
Bovins	9,4 %	8 %	Cuivre (métal contenu)	12 %	13,4 %
Lait	21 %	14 %	Manganèse (Mn)	34 %	0,4 %
Houille	16 %	21 %	Nickel	21,7 %	0,1 %
Gaz	38,1 %	25,1 %	Plomb	16,4 %	10 %
Pétrole brut	21,1 %	16,4 %	Or	25 %	5,3 %
Capacité raffinage	16,8 %	21,2 %	Véhicules util. (prod.)	7,6 %	28 %

U.R.S.S. Les républiques fédérées

République Socialiste Fédérative Soviétique de Russie (R.S.F.S.R.) : 17,1 millions de km² — 144 millions d'hab. (est. 86). **Capitale** : Moscou. Occupe 76 % de la superficie de l'U.R.S.S. et fournit 70 % du revenu agricole et industriel total. Ressources minérales abondantes : fer *(Oural, Kertch, Sibérie)* — charbon 60 % *(Kouzbass, Sibérie occidentale, Oural, bassin de Moscou)* — pétrole 70 % *(Oural, Azov — mer Noire, Bachkirie)* — or — platine — cuivre — zinc — plomb — étain et métaux rares. Concentre 75 % de l'ind. mécanique, plus de 80 % de l'ind. textile et produit 60 % de l'acier. **Villes** (milliers d'hab., 1.86) : Moscou 8 714 — Leningrad 4 904 — Gorki 1 409 — Novosibirsk 1 405 — Sverdlovsk 1 315 — Omsk 1 122 — Perm 1 065 — Kazan 1 057 — Rostov 992 — Volgograd 981 — Saratov 907 — Krasnoiarsk 885 — Irkoutsk 601.

R.S.S. d'Ukraine : 603 700 km² — 50,9 millions d'hab. (86). **Capitale** : Kiev. On y trouve les terres les plus fertiles de l'U.R.S.S. — productions (millions de t, 84) : blé 18 — maïs 6 — bett. sucr. 49 — tournesol 2,2 — p. de terre 19,9 — viande 3,7 — lait 22,8 millions de t). Est le plus grand producteur de charbon *(Donbass)* 200 millions de t env. Produit aussi manganèse *(Nikopol)*, sel, pétrole (10 millions de t env.). La production d'acier atteint 123 millions de t (84) et l'on y trouve des industries de toute nature. **Villes** (milliers d'hab., 86) Kiev 2 495 — Kharkov 1 567 — Dniepropetrovsk 1 315 — Odessa 1 132 — Donetsk 1 081 — Zaporojié 863 — Lvov 753 — Krivoï Rog 691.

R.S.S. de Biélorussie : 207 600 km² — 10 millions d'hab. (86). **Capitale** : Minsk (1 510 000 hab.). Céréales — p. de terre — lin — élevage de bovins et de porcs — bois et tourbe — ind. mécaniques (machines-outils et matériel agricole).

R.S.S. d'Azerbaïdjan : 86 600 km² — 6,7 millions d'hab. (86). **Capitale** : Bakou (1 722 000 hab.). Agriculture subtropicale : coton, riz, thé, vin et fruits. Très importante production de pétrole brut — acier — ciment — coton — soie.

R.S.S. d'Arménie : 29 800 km² — 3,3 millions d'hab. (86). **Capitale** : Erevan (1 148 000 hab.). Fruits — raisins. Production de cuivre, zinc, aluminium, molybdène. Produits chimiques, machines et ind. alimentaires.

R.S.S. d'Estonie : 45 100 km² — 1,54 million d'hab. (86). **Capitale** : Tallin (447 000 hab.). L'agriculture (p. de terre, céréales) et l'élevage laitier constituent les activités principales. Schistes bitumineux et gaz — Construction : matériel agricole.

R.S.S. de Géorgie : 69 700 km² — 5,2 millions d'hab. (86). **Capitale** : Tbilissi (Tiflis) (1 174 000 hab.). Agriculture subtropicale : thé — fruits (27 % de la surface cultivée) — raisins — tabac. Mines et industries : manganèse *(Tchiatoura)* — charbon — fonte — acier — laminés — ciment — engrais.

R.S.S. de Kazakhie : 2 719 400 km² — 16 millions d'hab. (86). **Capitale** : Alma-Ata (1 068 000 hab.). L'élevage nomade fait place à la culture du coton et des céréales. Riches ressources minières et industrielles : charbon — pétrole — chrome — acier — fer — cuivre — plomb — zinc — ciment — engrais — coton — laine.

R.S.S. de Kirghizie : 198 500 km² — 4 millions d'hab. (86). **Capitale** : Frounze (617 000 hab.). Élevage réputé — céréales — coton — charbon — ind. alimentaires.

R.S.S. de Lettonie : 63 700 km² — 2,6 millions d'hab. (86). **Capitale** : Riga (890 000 hab.). Élevage et prod. agricoles — bois — papier — machines — engrais.

R.S.S. de Lituanie : 65 200 km² — 3,6 millions d'hab. (86). **Capitale** : Vilnious (555 000 hab.). Céréales — bett. sucr. — lin — p. de terre — bois. Industrialisation depuis 1945 — const. navales — ciment — textiles — industries chimiques — métallurgie.

R.S.S. de Moldavie : 33 700 km² — 4,1 millions d'hab. (86). **Capitale** : Kichinev (643 000 hab.). Agriculture (vigne, fruits, tabac) et élevage. Ind. alimentaires et textiles.

R.S.S. d'Ouzbékie : 449 600 km² — 18,4 millions d'hab. (86). **Capitale** : Tachkent (2 077 000 hab.). Coton (65 % du total U.R.S.S.) — riz — fruits — raisins — moutons Karakul — charbon — pétrole — gaz naturel — acier — textiles.

R.S.S. de Tadjikie : 143 100 km² — 4,6 millions d'hab. (86). **Capitale** : Duchambe (567 000 hab.). Coton — fruits — céréales — moutons et gros bétail — charbon — pétrole — gaz.

R.S.S. de Turkménie : 488 100 km² — 3,2 millions d'hab. (86). **Capitale** : Achkabad (366 000 hab.). Cultures irriguées (coton) — élevage important (moutons) — houille — pétrole — gaz.

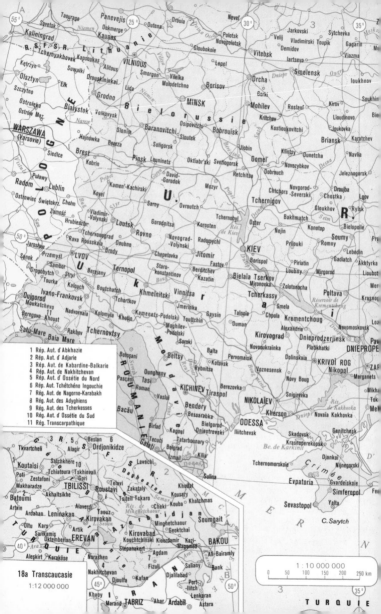

ASIE (et U.R.S.S.) géographie physique

L'Asie, dont le nom vient de l'assyrien « assu » qui signifie « pays de l'Est », est le plus vaste des continents. Sa superficie est de 49 934 000 km² (22 402 000 km² en U.R.S.S.). Sa population est estimée (1987) à 3 214 000 000 habitants (75 millions environ en Russie d'Asie). Séparée de l'Amérique par le détroit de Behring, l'Asie est rattachée à l'Afrique par l'isthme de Suez. Trois groupes d'îles dans l'Arctique ; un chapelet d'îles et d'archipels dans le Pacifique : *Sakhaline — Kouriles — Japon — Ryu Kyu — Taïwan — Philippines — Indonésie — Hai Nan*. Enfin *Ceylan —* les *Maldives* — les *Laquedives*, dans l'océan Indien, et *Chypre*, en Méditerranée, font partie de l'Asie. Le point le plus septentrional est le cap Tcheliouskine (77°44′ Nord) ; le plus méridional se situe au sud de Timor (11°Sud) ; le plus à l'ouest est en Turquie, le cap Baba (26°03′ Est) ; le plus à l'est, l'extrémité de la pén. Tchouktche (169°40′ Ouest). Massive, l'Asie s'étend sur 11 fuseaux horaires et son centre est à 2 500 km de la mer la plus proche.

Les côtes d'une longueur de 69 000 km ne sont finement découpées que sur la façade Pacifique. Ailleurs péninsules massives *(Arabie — Inde — Indochine)*, séparées par de larges échan-crures.

Structure et relief : Du Nord au Sud, trois ensemble principaux : 1°) La partie septentrionale, d'altitude faible ou modérée, comprend à l'Ouest une immense plaine *(Sibérie occid.)* et à l'Est le plateau sibérien, vieux socle de roches dures auquel se sont heurtés les plissements successifs. 2°) A l'Ouest et au Centre, depuis l'Asie Mineure, se succèdent des hauts plateaux *(Anatolie — Iran — Pamir — Tibet — Mongolie)*, à l'altitude généralement élevée (le Tibet « le toit du monde » dépasse 5 000 m). Encadrant ces hauts plateaux des chaînes de montagnes qui sont parmi les plus élevées du monde — les *Caucase — Elbrouz — Hindou Kouch — Tian Chan-Karakoram — Transhi-malaya* et, la plus haute de toutes, l'*Himalaya*. Au Sud, les péninsules sont de vieux plateaux usés surplombant la mer par des pentes escarpées. 3°) A l'Est et au Sud alternent plaines et régions volcaniques. Les plaines alluviales *(Mésopotamie — Indo-gangétique — Mandchourie)* et les del-tas *(Bengale — Cochinchine — Tonkin — Yang Tsé Kiang et Houang Ho)* séparent les montagnes de la mer. Du détroit de Béring à la Malaisie la côte est bordée de guirlandes volcaniques qui se prolongent sous la mer et émergent en formant des archipels *(Japon — Philippines — Insuline)* aux volcans actifs.

L'altitude moyenne est de 950 m. Non seulement le point culminant du globe (Everest 8 847 m) se trouve en Asie, mais encore le plus bas : la surface de la mer Morte est à moins 394 m.

Les fleuves sont longs et redoutables. On distingue : au Nord les fleuves sibériens, gelés pendant les six ou huit mois d'hiver, aux crues gigantesques *(Ob — Iénisseï — Lena)* ; au Centre les fleuves se terminent dans des cuvettes intérieures, ou des lacs *(Amou Daria — Syr Daria — Tarim)* ; au Sud les fleuves de l'Asie des Moussons connaissent des inondations catastrophiques *(Gange — Mékong — Yang Tsé — Houang Ho)*.

Climat : Étalée de l'Équateur aux régions polaires, l'Asie connaît trois grandes régions climati-ques : au Nord, l'Asie boréale (hiver long, peu de précipitations) — au Centre, l'Asie aride ou sèche, domaine des déserts chauds (Arabie, Iran) et des déserts froids (Tibet) — au Sud-Est, l'Asie des moussons ou humide, caractérisée par deux saisons bien marquées et des pluies abondantes. La température maximale a été enregistrée à Bagdad (+ 50 °C), la plus basse en Sibérie, à Oimiakon (– 78 °C). **Températures moyennes annuelles**, en degrés C, [précipitations en millimètres] : Dudinka moins 10,9 [213] — Verkhoïansk moins 16,1 [128] — Arkhangelsk 0,1 [466] — Moscou 3,2 [613] — Tchkalov 3,5 [361] — Yalta 13,1 [545] — Tachkent 13,2 [348] — Pékin 11,7 [621] — Tokyo 13,8 [1 524] — Bagdad 22,5 [177] — Meched 13,4 [234] — Shanghai 15 [1 146] — Tchoung King 19,5 [1 066] — Calcutta 26 [1 634] — Hanoi 23,4 [1 776] — Bombay 27 [1 880] — Madras 24,8 [133] — Saigon 27,1 [2 011] — Singapour 26,3 [2 415] — Pontianak 26,2 [3 233] — Djakarta 26,1 [1 832].

Végétation : Du Nord au Sud, on rencontre : la *toundra* (saules nains, lichens) — la *taïga* (sapins, conifères et bouleaux, puis *feuillus* vers le sud et l'ouest) — les *steppes et déserts* de l'Asie aride avec quelques oasis. L'abondance et la durée des pluies déterminent, dans l'Asie des moussons, trois types de passages : le *maquis tropical* (Chine du Sud) — *savanes et jungles* qui couvrent l'Inde et l'Asie du Sud-Est — la *forêt dense* le long des rivages du Sud-Est et en Indonésie — les massifs montagneux ont de belles forêts et des prairies toujours vertes — en Turquie les rivages méditerranéens sont réputés pour leurs vergers et vignobles.

La faune correspond aux zones de végétation : au Nord, les bêtes à fourrure — dans les hautes montagnes, le yak — dans les régions désertiques, le chameau — le Sud est le domaine du tigre, de l'éléphant, des singes, des serpents et des insectes.

ASIE

FLEUVES LES PLUS LONGS

	Longueur en km	Bassin en km²		Longueur en km	Bassin en km²
Ob-Irtych	5 300	2 425 000	Houang Ho	4 100	980 000
Yang Tsé Kiang	5 200	1 775 000	Gange	3 000	1 060 000
Iénisseï	5 200	2 510 000	Indus	2 900	960 000
Lena	4 600	2 320 000	Euphrate	2 760	765 000
Amour	4 500	2 050 000	Amou Daria	2 540	465 000
Mékong	4 200	810 000	Irraouaddi	2 300	430 000

LACS LES PLUS VASTES

	Sup. km²	Altitude en m	Profondeur en m
M. Caspienne	420 000	– 28	980
Mer d'Aral	60 000	53	66
Baïkal	30 500	455	1 742
Balkhach	17 000	339	26
Ourmiah	7 500	1 222	15
Issyk-Koul	6 300	1 609	702
Po Yang	5 000	33	
Koukou Nor	4 100	3 205	38
Van	3 400	1 720	
Mer Morte	980	– 394	400

MONTAGNES LES PLUS ÉLEVÉES

	Altitude en m
Everest [Himalaya, Népal-Tibet]	8 847
Godwin Austen (K2) [Karakoram-Cachemire]	8 611
Annapurna [Himalaya-Népal]	8 075
Nanda-Devi [Himalaya-Inde]	7 817
Minya Konka [Se Tchouan-Chine]	7 590
Mt Communism [Pamir-U.R.S.S.]	7 495
Pobeda [Tian-Chan-U.R.S.S.-Chine]	7 439
Demavend [Elbourz-Iran]	5 670
Elbrouz [Caucase-U.R.S.S.]	5 633
Ararat [Arménie-Turquie]	5 156

ILES LES PLUS ÉTENDUES (superficie en km²)

Bornéo [Insulinde]	736 000	Mindanao [Philippines]	98 000
Sumatra [Indonésie]	471 000	Sakhaline [U.R.S.S.]	76 000
Honshu [Japon]	226 500	Ceylan [Océan Indien]	65 000
Célèbes [Indonésie]	179 000	Formose = Taiwan [Chine]	36 000
Java [Indonésie]	127 000	Timor [Indonésie]	31 000
Luçon [Philippines]	108 000	Chypre [Méditerranée]	9 300

IMPORTANTS VOLCANS EN ACTIVITÉ

	Alt. en m	Dernière éruption
Klioutchevski Sopka [Kamtchatka]	4 850	1954
Korintji [Sumatra]	3 800	1909
Fuji Yama [Honshu]	3 776	1792
Merapi [Sumatra]	2 891	1876
Awœ [Sangi, Célèbes]	1 860	1892
Hibok Hibok [I. Camiguin Mindanao-Philippines]	1 712	1951
Krakatau [Dt de la Sonde]	832	1883

GLACIERS LES PLUS ÉTENDUS

	Sup. en km²
Fedtchenko [Transalai-Tadjikie]	1 350
Zeravchan [Alai-Kirghizie]	890
Baltoro [Karakoram-Cachemire]	750

CHUTE D'EAU

	Haut. en m
Khon [Kampuchéa] sur le Mékong débit 11 890 m³/s	21

DÉSERTS LES PLUS GRANDS (superficie en km²)

Gobi [Chine-Mongolie]	1 036 000	Kara Koum [Turkménie-U.R.S.S.]	270
Roub al Khali [Arabie]	647 000	Thar [Inde]	260
Takla Makan [Sin Kiang-Chine]	320 000	Kyzyl-Koum [Ouzbékie-U.R.S.S.]	230

19 a Hong Kong et Macao
1:2 000 000

C H I N E

Tangtouxia · Danshui
Longgang · Aotou
Pingbu
Shenzhen · Baie Mirs

Zhongshan · Nantou
22° Is. Kiau
30' Baie Deep
Yuen Long · Tai Po · 1112 · SHA TIN
541 · Tangjia · TSUEN · WAN · Sai Kung
TUEN MUN · NEW KOWLOON
Sanxiang · KOWLOON
Zhuhai · VICTORIA
Doumen · I. Lán Tao · Tao · 970 · I. Hong Kong
B Macao · Is. Soko · Pok Liu · Chao · Is. Po Toi
(Port.)
Sanzao · Danganquandao
Sanzaodao · Wanshanqundao
22°
00' · I. Dongao · Is. Dangangquandao · Is. Lema
MER DE CHINE MÉRIDIONALE
C 1 · 113° · 114° · 114°
30' · 00' · 2 · 3 · 30'

19 b Détroit de Malacca
1:15 000 000

THAILANDE
Kangar · Yala · Kota Baharu
Alor Setar
Kuala Terengganu
Butterworth
Pinang · M · 3 · 2190 · 11
Langsa · Taiping · Ipoh · 2182 · Tahan
Telok Anson · Kuala Lipis · Kuantan
Binjai · 10
MEDAN · KUALA LUMPUR · Pekan
2475 · Tebingtinggi · Kelang · 5 · Seremban
Pematangsiantar · Tanjungbalai · Petaling · Melaka
Tarutong · 2078 · Bagansiapiapi · Muar · Keluang
Sibolga · Rantauprapat · Dumai · Batu · Johor Baharu
Padangsidempuan · I. Rupat · Pahat · SINGAPORE
I. Nias · Bengkalis · SINGAPOUR
Natal · Pakanbaru · Tanjungpinang
I. Pini · G. Talakmau · Lubuksikaping · Is. Riau
2912 · Équateur · Is. Lingga
98° · 100° · 102° · 104° · 106°

1 Johor
2 Kedah
3 Kelantan
4 Melaka
5 Negeri Sembilan
6 Pahang
7 Perak
8 Perlis
9 Pinang
10 Selangor
11 Terengganu

Is. Anambas
(Indon.)

MER DE CHINE MÉRIDIONALE

19 c Chypre
1:4 500 000

C. Andréas
C. Kormakiti · Lapithos · Kerinia · Rizokarpason
Attila Line · Baie de · Yialousa
since 27.7.1976 · Morfou · 1025 · Leukósia · Levkoniko · Trikomon · Leonárison
C. Amauti · Pólis · Morfou · (Nicosie) · Asha · Baie de Ammochóstos
Lévka · Ammochóstos
1951 · Dherinia
Tróghodhos · Palaikhóri · C. Ghréko
Ários · Lámaka · Baie
Páfos · Lemesos · de Lárnaka
Episkopi
Akrotíri · C. Gáta
CHYPRE
MER MÉDITERRANÉE
1 · 33° · 2 · 34° · 3

ASIE — géographie humaine et politique

Sur un peu moins du tiers des terres émergées (32 % en comprenant la partie asiatique de l'U.R.S.S.), l'Asie rassemble plus de la moitié de la population mondiale (60,8 %) mais les densités sont très inégalement réparties. De vastes étendues (déserts, toundra, hautes montagnes, forêt dense) sont presque inhabitées tandis que sur 7 % du continent est concentrée plus de 60 % de la population totale. Toutes les zones dépassant 100 hab./km² sont situées dans l'Asie des moussons : celle-ci porte en moyenne 18 fois plus d'hab./km² que le reste de l'Asie. Cette population est d'ailleurs loin d'être également répartie sur les 13 millions de km² de l'Asie des moussons. Certains deltas atteignent 2 000 hab./km², tandis que d'immenses régions de cette Asie des moussons n'ont que 3 à 5 hab./km². Depuis 50 ans, la population asiatique a plus que doublé. De grands progrès étant réalisés dans la lutte contre les fléaux (famines — épidémies — cataclysmes naturels) qui décimaient une population à natalité élevée, cet accroissement ira en s'accélérant, et le pourcentage des jeunes déjà important (la moitié de la population asiatique a moins de vingt-cinq ans) ne fera que croître.

Races. L'Asie est le domaine de la race *jaune* (plus des 3/5 du total) qui se divise en plusieurs groupes : ceux de l'Asie des moussons *(Chinois, Japonais, Coréens)* — ceux de l'Asie du Sud-Est *(Malais)* — les Jaunes des steppes d'Asie centrale *(Mongols, Tibétains)* — les Jaunes *paléo-sibériens.* Les 700 millions de *Blancs,* environ, occupent une grande partie de l'Asie du Sud-Ouest (Asie Mineure — Arabie — Iran — Afghanistan Sud — Pakistan occidental — Nord-Ouest de l'Inde) et la « colonisation » russe en Asie boréale a introduit une population blanche importante. Les *Noirs* (une centaine de millions) divisés en nombreux peuples sont disséminés surtout en Malaisie, aux Philippines, à Ceylan et dans le Décan (Inde).

L'Asie a vu naître les plus anciennes civilisations (sud de l'Iran vers la fin du Ve millénaire ?), elle a découvert les principes de l'agriculture et de l'élevage, inventé la première métallurgie (cuivre, puis fer) et l'écriture. Toutes les grandes religions sont nées sur les marges occid. de l'Asie ou en Asie même (judaïsme, christianisme, islam, hindouisme, bouddhisme). Pendant des siècles, les peuples d'Asie, fiers d'un passé brillant, vécurent repliés sur eux-mêmes. Certes, des contacts existaient (route de la soie de la Chine à Byzance). Marco Polo en 1275 visite la cour mongole et parcourt la Chine. A la fin du XVe s., Vasco de Gama atteint l'Inde. Les Portugais s'établissent à Macao en 1557, les Hollandais à Formose en 1624. Les Compagnies anglaises, néerlandaises et françaises des Indes orientales s'épanouissent à partir de la première moitié du XVIIe et jusqu'au XIXe siècle. L'Asie, objet de la convoitise des Européens, fut le champ de rivalités et, sous des formes diverses (colonies, protectorats, mandats), la moitié du continent asiatique était contrôlée par des puissances étrangères. A la suite de l'affaiblissement des puissances européennes au cours des deux guerres mondiales, les pays asiatiques obtinrent, par accords négociés ou après des conflits armés, leur indépendance politique. Des conflits de frontières, certains encore en suspens, sont nés d'une division calquée sur les frontières coloniales ; des oppositions religieuses subsistent (Inde/Pakistan) et des problèmes politiques ébranlent un monde à l'équilibre précaire (conflit israélo-arabe, occupation de l'Afghanistan, guerre irako-iranienne).

Les États asiatiques s'efforcent de combler un énorme retard économique. Le Japon qui pratique une économie libérale occupe le 2e rang parmi les grandes puissances industrielles. Son exemple montre aux pays voisins que l'industrialisation et l'adoption des techniques les plus audacieuses n'est pas une impossibilité, malgré le lourd handicap d'une population très nombreuse et la médiocrité des ressources naturelles.

La Chine, depuis la proclamation de la République populaire, le 1er octobre 1949, a entrepris, selon des voies originales, l'édification d'une société de type collectiviste. Après la réforme agraire, la Chine se dote d'une industrie lourde et équipe ses usines.
De nombreux pays font appel à des techniques et à des capitaux étrangers : certains trouvent dans le pétrole les moyens d'entreprendre une modernisation des structures.

Non compris la partie asiatique de l'U.R.S.S., 55 % de la population mondiale ne produit que 14 % de l'acier, ne consomme que 7 % de l'énergie disponible et dispose de moins de 4 % du total des véhicules (tourisme, plus utilitaires) circulant dans le monde.

ASIE

Pays (et page de la notice géographique)	Superficie en km²	Population	Année	Densité au km²
Afghanistan (p. 95)	647 497	14 200 000	est. 1987	21,9
Arabie Saoudite (p. 91)	2 149 690	14 800 000	»	6,9
Bahrein (p. 94).........................	622	400 000	»	643,1
Bangladesh (p. 95)......................	143 998	107 100 000	»	743,8
Bhoutan (p. 95)	47 000	1 400 000	est. 1986	29,8
Birmanie (p. 99)	676 552	38 800 000	est. 1987	57,3
Brunei (p. 110)	5 765	200 000	»	34,7
Cachemire et Jammu (p. 95)	222 236	5 990 000	»	26,9
Chine (populaire) (p. 106)	9 596 961	1 062 000 000	»	110,7
Chypre (p. 90)	9 251	700 000	»	75,7
Émirats Arabes Unis (p. 91)	83 000	1 350 000	est. 1986	16,3
Hong Kong (p. 110)	1 045	5 500 000	»	5 263,1
Inde (p. 98)	3 287 590	800 000 000	est. 1987	243,3
Indonésie (p. 102)	1 904 345	174 900 000	»	91,8
Irak (p. 94)	434 924	17 000 000	»	39,1
Iran (p. 94)............................	1 648 000	50 400 000	»	30,6
Israël (p. 90)	20 770	4 400 000	»	211,8
Japon (p. 107)	377 765	122 200 000	»	323,5
Jordanie (p. 91)	97 740	3 700 000	»	37,9
Kampuchéa (République khmère) (p. 99)..	181 035	6 500 000	»	35,9
Koweit (p. 94)	17 818	1 900 000	»	106,6
Laos (p 99)	236 800	3 800 000	»	16
Liban (p. 90)	10 400	3 300 000	»	317,3
Macao (p. 110)	16	400 000	est. 1986	25 000
Malaisie (p. 102)	329 749	16 100 000	est. 1987	48,8
Maldives (îles) (p. 98)	298	180 000	est. 1986	604
Mongolie (p. 106)	1 565 000	1 900 000	est. 1987	1,2
Népal (p. 95)	140 797	17 800 000	»	126,4
Oman (p. 91)	212 457	1 300 000	»	6,1
Pakistan (p. 95)	803 943	104 600 000	»	130,1
Philippines (p. 103)	300 000	61 500 000	»	205
Qatar (p. 94)	11 437	250 000	est. 1986	21,8
République Arabe Syrienne (p. 90)	185 180	11 300 000	est. 1987	61
République populaire démoc. de Corée (p. 103)	120 538	21 400 000	»	177,5
République de Corée (p. 103)...........	98 484	42 100 000	»	427,5
Sabah (p. 102)	76 117	1 271 000	»	16,7
Sarawak (p. 102)	125 205	1 425 000	»	11,4
Singapour (p. 102).....................	581	2 600 000	»	4 475
Sri Lanka (p. 98)	65 610	16 300 000	»	248,4
Taiwan (Formose) (p. 110)	35 981	19 600 000	»	544,7
Thaïlande (ex-Siam) (p. 99)	514 000	53 600 000	»	104,3
Turquie (p. 90)	780 576	51 400 000	»	65,8
Viêt-nam (République socialiste du) (p. 99)	329 556	62 200 000	»	188,7
Yémen (République Arabe du) (p. 91)	195 000	6 500 000	»	33,3
Yémen (République dém. pop. du) (p. 91)	332 968	2 400 000	»	7,2

20a Inde du Sud et Sri Lanka 1:15 000 000

20b États du Levant 1:12 500 000

TURQUIE

Türkiye Cumhuriyeti ; 780 576 km² (dont 23 721 km² en Europe) ; 50 400 000 hab. (est. 87) (dont env. 4 millions en Europe) ; république. Capitale : *Ankara 2 500 000 hab. (86) (aggl.).* Monnaie : *livre turque.*

Population : Turcs islamisés en majorité (90 %) — minorité dont *Kurdes* (7 %). **Villes** (milliers d'hab., rec. 86) : Istanbul (Constantinople) 5 494 — Izmir (Smyrne) 1 489 — Seyhan (Adana) 776 — Bursa 614 — Gaziantep 466 — Konya 438 — Kayseri 378 — Eskisehir 367.
ÉCONOMIE : Industrialisation ralentie faute de sources d'énergie suffisantes. **Agriculture** (millions de t, 86) : blé 19 — orge 7 — p. de terre 3,9 — seigle 0,3 — agrumes — noisettes (50 % de la prod. mond.) — olives 0,9 — tabac 0,2 — thé 137 000 t — vin 380 milliers d'hl — fibres de coton 475 000 t — tournesol. **Élevage** (millions de têtes, 86) : bovins 16,2 — ovins 40,4 — chèvres. **Mines** (millions de t, 86) : houille 7,2 (85) — lignite 31,6 — pétrole 2,4 — fer (minerai) 1,9 — chrome 0,4 (5ᵉ rang mond.) — antimoine 200 t — cuivre — manganèse — mercure. **Industries** (milliers de t, 86) : acier 7,2 — filés de coton (85) 50 — tapis — ciment.

CHYPRE

Kypriaki Dimokratia, Kibris Cumhuriyeti ; 9 251 km² ; 700 000 hab. (est. 87) ; république, membre du Commonwealth. Capitale : *Nicosie 146 000 hab. (aggl. 81).* Monnaie : *livre chypriote.*

Population : Grecs orthodoxes 80 %. Turcs musulmans 19 %.
ÉCONOMIE : agriculture méditerranéenne (vin — fruits — blé). **Mines** : le cuivre, qui a donné son nom à Chypre, n'est presque plus exploité — amiante (13ᵉ rang mond.) — chrome — pyrite de fer. L'industrie se développe ainsi que les entreprises off-shore.

RÉPUBLIQUE ARABE SYRIENNE

Al-Djumhouriya Al Arabia As-souriya ; 185 180 km² ; 11 300 000 hab. (est. 87). Capitale : *Damas 1 178 000 hab. (84).* Monnaie : *livre syrienne.*

Villes (milliers d'hab., 84) : Alep 1 109 — Homs 406 — Lattaquié 204 (79) — Hama 180 (79).
ÉCONOMIE (80) : terres arables 47 % du territoire : blé 2 millions de t — orge 1,4 million de t — cult. méditerranéennes (agrumes — oliviers — primeurs) — début de culture du coton. **Élevage** (81) : 11,7 millions d'ovins. Pétrole : 9 millions de t (85).

LIBAN

Al-Djumhouriya Al Lubnaniya ; 10 400 km² ; 3 300 000 hab. (est. 87) ; république. Capitale : *Beyrouth 1 100 000 hab. (est. 84, aggl.).* Monnaie : *livre libanaise.*

Villes (milliers d'hab., 84) : Tripoli 250 — Saïda 80 (aggl., 79) — Zahle 80 (79).
ÉCONOMIE (85) : Cultures méditerranéennes (agrumes 364 000 t — olives 50 000 t — vergers — vigne) dans la plaine. Sur les versants : blé et olivier. Raffineries de pétrole à Saïda et Tripoli, aboutissement des oléoducs venant d'Arabie et d'Irak. Important commerce sous pavillon libanais.

ISRAËL

Medinat Israël ; 20 770 km² ; 4 400 000 hab. (est. 87) plus 600 000 hab. à Gaza ; république. Capitale : *Jérusalem 465 000 hab. (est. 86).* Monnaie : *sheqel.*

Population : Juifs 83 % — Arabes 17 %.
Villes (milliers d'hab., 85) : Tel-Aviv/Jaffa 322 — Haïfa 224 — Ramat Gan 116.
ÉCONOMIE : de nouvelles structures agraires *(Kibboutzim et coopératives)* ont bouleversé une exploitation archaïque, et une industrie spécialisée s'est implantée. **Agriculture** (milliers de t, 86) : blé 169 — pommes de terre 207 — agrumes 1 300 — bananes 82. **Mines** (milliers de t, 86) : potasse 1 139 — phosphates 2 518. **Industries** : appareils électriques — optique — pharmacie — taille de diamants — mat. plastiques.

JORDANIE

Al Mamlaka Al Ourdouniya Al Hashemiyah; 90 185 km² (avec les eaux int. 97 740 km²) ; 3 700 000 hab. (est. 87) ; royaume. Capitale : *Amman 777 500 hab. (84).* Monnaie : *dinar jordanien.*

Villes (milliers d'hab., 84) : Zarqa 265 — Irbid 136.

ÉCONOMIE : agriculture dans la vallée du Jourdain, ailleurs élevage nomade — phosphates 234 800 (86). Droits perçus pour le passage des oléoducs. Tourisme (2 271 500 en 1984).

ARABIE SAOUDITE

Al Mamlaka Al Arabiya As Saudiya; 2 149 690 km² ; 14 000 000 hab. (est. 87) ; royaume. Capitale : *Riad (Riyadh) 1 100 000 hab.* ; Capitale religieuse : *La Mecque (rec. 79) 366 000 hab.* Monnaie : *riyal.*

Villes (rec. 79) : Djeddah 561 000 hab. — Médine 200 000 hab.

ÉCONOMIE : le désert (98 % du pays sont désertiques ou semi-désertiques) est le domaine des Bédouins nomades — les oasis produisent dattes — fruits et céréales — pétrole 247,6 millions de t en 86 contre 490 millions de t en 81 (les plus grosses réserves mondiales) 3e producteur.

RÉPUBLIQUE ARABE DU YÉMEN

Al Djamhouriya Al Arabiya Al Yamaniya; 195 000 km² ; 6 500 000 hab. (est. 87). Capitale : *Sanaa 277 000 hab. (rec. 81).* Monnaie : *riyal.*

Villes : Hodeida 126 000 hab. — Taiz 120 000 hab.

ÉCONOMIE : rurale : sorgho — raisins — café — le qât (stupéfiant) — l'élevage est important : chèvres 2,23 millions, moutons 1,85 million. Industries textiles à Sanaa.

RÉPUBLIQUE DÉMOCRATIQUE POPULAIRE DU YÉMEN

Al Djamhouriya Al Yaman Al Dimoucratiya Al Chabia (indép. depuis déc. 67). 332 968 km² ; 2 400 000 hab. (est. 87). Capitale : *Aden 265 300 hab. (81).* Monnaie : *dinar. Les îles de Périm, de Kamaran et de Socotra sont rattachées à la Rép. dém. pop. du Yémen.*

ÉCONOMIE : pop. nomade 10 %, pop. rurale 57 %. Élevage nomade — dans les oasis : dattes et cultures vivrières — Aden, ancienne base stratégique anglaise, possède une raffinerie de pétrole et quelques industries.

OMAN (ex-Mascate et Oman)

Sultanat Masqat Wa Oman ; 212 457 km², 1 300 000 hab. (est. 87) ; monarchie « protégée » par la Grande-Bretagne. Capitale : *Mascate (aggl.) 80 000 hab. (est. 81).* Monnaie : *riyal oman ; en usage le riyal d'Arabie Saoudite.*

ÉCONOMIE : élevage — pêche — dattes 75 000 t surtout exportées vers l'Inde. Pétrole exploité depuis 1967, 27,3 millions de tonnes (86), acheminé par oléoducs jusqu'à Mascate.

ÉMIRATS ARABES UNIS

Les Émirats A. U. comprennent 7 États depuis 1971 : Abou Dhabi, Doubaï, Sharjah, Ras al-Kaïmah, Fujeirah, Umm al-Qaïwain et Ajman. 83 000 km² ; 1 350 000 hab. (est. 86) dont 60 % pour Abou Dhabi et Doubaï. Monnaie : *dirham.*

ÉCONOMIE : huîtres perlières — pétrole, en millions de t (86) 65. Recettes : 102 milliards de francs (75 % du P.N.B.). Aéroports. Essor de la construction et des travaux publics.

ZONE NEUTRE

Entre l'Irak et l'Arabie Saoudite, 5 000 km².

QATAR

Bahr el Qatar ; 11 437 km² ; 250 000 hab. (est. 86) ; émirat indépendant depuis 1971. Capitale : Doha (aggl.) 220 000 hab. (est. 83). Monnaie : riyal. Seulement 20 % de la pop. est du Qatar, les 3/4 viennent des autres pays arabes.

ÉCONOMIE : pétrole 16 millions de t en 86 contre 19,5 millions de t, en 81. Gaz : 12 % des réserves connues.

BAHREIN

El Bahraini, 622 km², 400 000 hab. (est. 87) ; émirat indépendant depuis 1971. Capitale : Manama 110 000 hab. (est. 86). Monnaie : dinar.

ÉCONOMIE : pêche — huîtres perlières — pétrole 2 millions de t (86) — gaz naturel découvert en 1971, production 2 milliards de m³ par an. L'économie est plus diversifiée que celle des autres émirats.

KOWEIT

Dowlat Al Kuwait ; 17 818 km² ; 1 900 000 hab. (est. 87) ; monarchie. Capitale : Koweit 1 100 000 hab. (est. 86). Monnaie : dinar.

ÉCONOMIE : immenses ressources pétrolières dans une plaine autrefois désertique : 53 millions de t, en 85 (9e producteur mondial).

IRAK (ou Iraq)

Al Djoumhouriya Al Iraquia ; 434 924 km² ; 17 000 000 d'hab. (est. 87) ; république. Capitale : Bagdad (est. 86) 3 500 000 hab. (aggl.). Monnaie : dinar irakien.

Population : Arabes 71 % — Kurdes 18 %.

Divisions administratives : 14 districts *(liwa).* **Villes** (est. 85, milliers d'hab.) : Bassorah 617 — Dahouk 571 — Mossoul 570 — Kirkouk 500 (78).

ÉCONOMIE (86) : l'essentiel des ressources est procuré par les *royalties* perçues sur le pétrole (84,3 millions de t en 86 contre 146,5 millions de t en 1981). Le désert est parcouru par des Bédouins nomades. Seul le « Croissant fertile » est cultivé : la zone subtropicale, près du rivage, produit des dattes (1er prod. mond.). **Production** (milliers de t, 86) : blé 1 100 — orge 1 300 — riz 145 — tabac 18 000 t — légumes secs — coton dont on cherche à intensifier la culture. **Élevage** (millions de têtes, 86) : ovins 8,8 — bovins 1,5 (85) — chèvres 2,4.

IRAN

Keshvazé Shahanshahiyé Irân ; 1 648 000 km² ; 50 400 000 hab. (est. 87) ; république. Capitale : Téhéran 6 000 000 d'hab. (est. 86). Monnaie : rial.

Divisions administratives : 24 provinces *(Ustan).* **Villes** (est. 82) (milliers d'hab.) : Meched 1 120 — Ispahan 926 — Tabriz 853 — Chiraz 800 — Ahwaz 471 — Qoum 424 — Abadan 296 (76) — Kirmanchah 290 (76) — Recht 259 — Hamadan 234.

ÉCONOMIE : dans un pays trop aride, le dixième seulement des terres est cultivé (zones périphériques et oasis), les hautes plaines portent des cultures extensives temporaires et la montagne est le domaine des pâturages à moutons. Les *royalties* perçues sur le pétrole sont passées de 2,6 milliards de dollars en 1972 à 24,8 milliards de dollars en 1983 (16 % du P.N.B.). **Agriculture** (milliers de t, 86) : blé 7 218 — orge 2 500 — riz 1 569 — thé 40 — tabac 22 — fibres de coton 106 — canne à sucre — vigne — oliviers — citrons et oranges — dattes. **Élevage** (millions de têtes, 86) : bovins 8,3 — ovins 34,5 — chèvres. **Pêche :** (en mer Caspienne) caviar. **Mines,** encore peu exploitées (milliers de t, 86) : plomb 20 — zinc 36 — chrome (minerai) 19 — antimoine — nickel — cuivre. **Pétrole** (millions de t, 86) : 60 — raffinage en baisse du fait de la guerre *(Abadan)* — gaz naturel (86) 7 milliards de m³ (le 1/3 de la prod. de 1977).

AFGHANISTAN

Doulat I Pádshahi ye Afgánistan ; 647 497 km² ; 14 200 000 hab. (est. 87) ; république. Capitale : *Kaboul (est. 86 - aggl.) 2 000 000 d'hab.* Monnaie : *afghani.*

Depuis la fin 1979, où un régime pro-soviétique est installé, de nombreux Afghans ont fui leur pays.

Divisions administratives : 29 provinces. **Villes** (milliers d'hab., est. 84) : Kandahar 278 — Herat 150 — Mazar-i-Sharif 103 (79).

ÉCONOMIE : pays encore peu développé en dépit des ressources appréciables du sous-sol. L'agriculture, variée, est entravée par des conditions physiques défavorables et l'élevage fournit l'essentiel des revenus (pays où il y a le plus de nomades.) **Agriculture** (milliers de t, 85) : blé 2 850 — orge — riz — millet — légumes — vigne — fruits secs — coton. **Élevage** (millions de têtes, 85) : bovins — ovins 20 (dont des moutons karakuls qui fournissent l'astrakan) — laine. **Mines :** fer — cuivre — plomb — pétrole — gaz naturel (2,4 milliards de m³ par an) — lapis-lazuli.

PAKISTAN

Pakistani Islami Djumhouriat, Islamic Republic of Pakistan ; 803 943 km² ; 104 600 000 hab. (est. 87). Capitale : *Islamabad (ville nouvelle) 320 000 hab. (est. 86), aggl. Rawalpindi 928 000 hab. (81).* Monnaie : *roupie pakistanaise.* Langue nationale : *l'ourdu.*

Jusqu'en avril 1971, le Pakistan comportait deux provinces : la Province Occidentale et la Province Orientale. Cette dernière est devenue indépendante sous le nom de Bangladesh. **Villes** (milliers d'hab., rec. 1981) : Karachi 5 100 — Lahore 2 290 — Hyderabad 795 — Multan 730 — Peshawar 555. **Religion :** 97 % de la population est musulmane, 1,4 % est chrétienne.

ÉCONOMIE (86) : pays agricole (57 % de la population active) aux ressources minérales faibles (gaz naturel 10,6 milliards de, m³, pétrole 2 100 000 t). Principales productions (millions de t, 86) : riz 4,8 — blé 13,9 — tabac — (millions de têtes, 86) bovins 16,7 — ovins 25,8.

BANGLADESH

Gana Prajatantri Gama ; 143 998 km² ; 107 100 000 hab. (est. 87). République populaire du Bangladesh. Capitale : *Dacca 3 500 000 hab. (est. 86).* Monnaie : *takka.* Langue officielle : *le bengali.*

Villes (en milliers d'hab., rec. 81 - aggl.) : Chittagong 1 400 — Khulna 646. **Religion :** musulmans 85 %, hindous 14 %, bouddhistes et chrétiens 1 %.

ÉCONOMIE : L'agriculture représente la majorité du produit national brut (52 % env.) et emploie 72 % de la population active. Le jute représente 17 % de la production mondiale, 907 000 t (86) — thé 40 000 t (86) — sucre 95 000 t (85) — filés de coton 48 700 t (85). Gaz naturel : 8 centres en cours d'exploitation, découverte d'un grand gisement (300 milliards de m³). **Exportations :** jute, thé, pelleteries. **Importations :** équipements de transport, fer, acier, ciment, etc.

BHOUTAN

Druk-Yul ; 47 000 km² ; 1 400 000 hab. (est. 86) ; royaume. Capitale : *Thimbu 15 000 hab. et Punakha 32 000 hab. (cap. d'hiver).* Monnaie : *ngultrum = roupie indienne.*

ÉCONOMIE : agriculture (70 % de la population active) dans les vallées — riz 62 000 t (85) — jute — forêts — artisanat ; revenu annuel 247 dollars par hab. (84) (un des plus bas avec celui du Kampuchéa). L'essentiel du commerce s'effectue avec l'Inde.

NÉPAL

Sri Nepala Sarka ; 140 797 km² ; 17 800 000 hab. (est. 87) ; royaume. Capitale : *Katmandu 390 000 hab. [700 000 hab. avec Pátan et Bhátgaor].* Monnaie : *roupie népalaise.*

ÉCONOMIE : agriculture, produits de la forêt et artisanat. **Agriculture** (70 % du P.N.B.) : riz 2,8 millions de t (85) — orge — jute 1 158 000 t (86) — arbres fruitiers — maïs — millet. **Élevage** (millions de têtes, 85) : bovins 11 — buffles 4,9 — moutons — chèvres.

CHINE

Moradabad
DELHI
New Delhi
Rampur
Birendranagar
80°
84°
Pokhara
Katmandou
Namche-Bazar
Sikkim
Punakha
Thimbu
Gangtok
BHOUTAN
Alwar
Mathura
AGRA
Firozabad
Aligarh
Bareilly
Shahjahanpur
Nepalganj
Bhaktapur
Lalitpur
Amlekhganj
Dhankuta
Darjiling
Siliguri
Cooch-Behar
Assam
Rajasthan
28°
GWALIOR
Farrukhabad
Etawah
LUCKNOW
Faizabad
Gorakhpur
Darbhanga
Muzaffarpur
Katihar
Saidpur
Rangpur
Maghalaya
Nasirabad
Shivpuri
KANPUR
Jhansi
Banda
ALLAHABAD
Jaunpur
Chapra
PATNA
Arrah
Bihar
Monghyr
Bhagalpur
Deoghar
Rajshahi
Pabna
Sirajganj
BANGLADESH
Baran
Guna
Lalitpur
Bina-Etawa
Satna
VARANASI
Mirzapur
Sasaram
Gaya
Daltonganj
Dhanbad
Asansol
Berhampore
DACCA
Chandpur
24°
BHOPAL
Sagar
Murwara
Rewa
80°
RANCHI
Durgapur
Bankura
Jessore
Bhatpara
KHULNA
Barisal
JABALPUR
84°
Jamshedpur
Raurkela
HOWRAH
KHARAGPUR
CALCUTTA
88°
Golfe du Bengale

Tsang Po
Rikaze
Jiangzi
Thimbu
BHOUTAN
Gangtok
Arunachal
Itanagar
Mukrong-Selek
Dangari
P'ou-tao
Lijiang
DUKOU
Xichang
Huize
GUIYANG
Duyun
Guilin
BANGLADESH
Saidpur
Gauhati
Dispur
Dibrugarh
Assam
Yangziyiang
Qujing
Anshun
Dushan
LIUZHOU
Wozhou
nil
Nasirabad
Shillong
Kohima
Imphal
Mangshi
Dali
KUNMING
Chuxiong
Yishan
Maoming
DACCA
Agartala
Aizal
Myitkyina
Tengchong
Mengzi
Gejiu
NANNING
Yulin
HOWRAH
KHULNA
TCHATTAGRAM
BIRMANIE
Ye-u
Lashio
Jinghong
Lao Kay
Pingxiang
Lang Son
Beihai
ZHANJIANG
CALCUTTA
Cox's Bazar
Pakokku
Chauk
Magwe
MANDALAY
Myingyan
Meiktila
Taung-gyi
Phong Saly
Hoa Binh
HANOI
HAIPHONG
Hui-Bai
Yaxian
HAIKOU
Hainan
20°
Sittwe
Pyinmana
Toungoo
Chiang Rai
Luang Prabang
Nam Dinh
Thanh Hoa
Prome
Chiang Mai
Lampang
Xiangkhoang
Vientiane
Vinh
Ha Tinh
Golfe du Tonkin
Is. Paracel (Viet.)
C
Myanaung
Henzada
Phitsanulok
Udon Thani
Nong Khai
N. Khammouan
Pegou
RANGOON
Khon Kaen
Savannakhet
Hué
DA NANG
BASSEIN
Martaban
THAILANDE
Ubon-Ratchathani
Pakse
Khemmarat
Moulmein
Ye
Nakhon Sawan
Nakhon-Ratchasima
du
I. Preparis
Golfe de Moktama
Nam Tok
Qui Nhon
Koko Kyunzu (Birm.)
Tavoy
THONBURI
Siem Reap
Stung Treng
Nha Trang
Iles Andaman (Ind.)
MER
KRUNG THEP (Bangkok)
Battambang
Chantaboun
Kratie
Dalat
Cam Ranh
ale
Tenasserim
Myeik
KAMPUCHEA
Loc-Ninh
Phan Rang
Port Blair
D'ANDAMAN
Kroburi
Chumphon
PNOM PENH
Kompong Som
Kompong
Kampot
VILLE HO-CHI-MINH (Saigon)
My Tho
Vung-Tau
10°
Iles Nicobar (Ind.)
Archipel des Myeik
Golfe du
Rach Gia
Cantho
Vinh Long
90°
Surat Thani
Quan Long
Is. Con Son
Iles Andaman
I. Phuket
Phuket
Trang
Nakhon Si-Thammarat
Thailande
Pte. de Ca Mau
MÉRIDIONALE
DE CHINE
Songkhla
Hatyai
Pattani
Banda Aceh
Sumatra
Lhokseumawe
Langsa
Alor Setar
Pinang
Taiping
Ipoh
MALAISIE
Kuantan
Kota Baharu
Kuala Terengganu
Is. Bunguran (110° Indon.)
7
INDONÉSIE
MEDAN
100°

INDE

Bharat, Republic of India ; 3 287 590 km² ; 800 000 000 hab. (est. 87) Jammu et Cachemire inclus ; république fédérale adhérant au Commonwealth. Capitale : New Delhi 5 720 000 hab. (86). Monnaie : roupie indienne.

Divisions administratives : 24 États et 9 territoires. **Villes** (rec. 81) (milliers d'hab.) : Calcutta 9 166 (aggl.) — Bombay 8 203 (aggl.) — Madras 4 277 — Bangalore 2 914 — Hyderabad 2 566 — Ahmedabad 2 515 — Kanpour 1 685 — Pouna 1 685 — Nagpour 1 298 — Lacknau 1 007 — Jaipour 1 004 — en 1971 : Agra 637 — Varanasi (Bénarès) 582 — Indore 572 — Madura 548 — Allahabad 513 — Patna 474 — Surat 471 — Baroda 467 — Amritsar 432 — Cholapour 398 — Gwalior 379 — Jamshedpur 340 — la population urbaine représente 24 %. **Religions :** l'hindouisme est la religion de 82 % de la population qui compte 12 % de musulmans. Le système des castes, lié à la religion, régit encore toute la vie collective et le comportement personnel de la grande majorité de la population.

ÉCONOMIE : les très gros efforts entrepris par le gouvernement pour améliorer les rendements ont permis à l'agriculture, grosse productrice de céréales, de satisfaire aux besoins de la consommation ; un immense troupeau de bovins est insuffisamment utilisé ; le sous-sol, riche en matières premières, devrait permettre de développer l'industrialisation, freinée par le manque de sources d'énergie.

Population active : la répartition n'a guère été modifiée depuis cinquante ans. On estime la répartition actuelle à : agriculture 63 % — industrie 15 % — secteur tertiaire 22 %.

Agriculture (millions de t, 86) : riz 92 (2e prod. mond., *plaine du Gange*) — blé 46 (terres sèches intérieures) — maïs 8 — orge 1,9 — millet 8,5 — arachides 6,4 (1er prod. mond., *Coromandel*) — fibres de coton 1,3 — jute 1,5 (*Bengale*) — sucre 7,6 — thé 0,6 (*Assam, sud Décan*) — café 0,1 — poivre — chanvre — sésame — tabac 473 000 t (4e prod. mond.) — hévéa. **Élevage** (millions de têtes, 86) : bovins 200 — ovins 54,4.

Mines (millions de t, 86) : houille 163 (*Damodar*) — fer 30 — bauxite 2,3 — pétrole 54,4 — manganèse. **Électricité** (86) : 182 milliards de kWh. **Industries** (millions de t, 86) : acier 11,5 — ciment 33,5 — filés de coton 1,2 (*Bombay*) — filés de jute (*Calcutta*) — constructions mécaniques.

Communications (85) : voies ferrées 60 000 km — routes 1 770 000 km — flotte (86) 6,5 millions de tonneaux. **Exportations** (86) : 122 milliards de roupies — thé — jute — tabac — coton — fer — manganèse. **Importations :** 187 milliards de roupies — blé — fer et acier — matériel lourd.

CACHEMIRE ET JAMMU

222 236 km² ; 5 990 000 hab. (est. 87) ; territoire contesté entre l'Inde à laquelle il est officiellement rattaché et le Pakistan qui le revendique (musulmans majoritaires) et en occupe plus de la moitié.
ÉCONOMIE : riz — maïs — blé.

MALDIVES

Malaya Vara ; 298 km² ; 180 000 hab. (est. 86). État indépendant depuis 1965, associé au Commonwealth, république depuis nov. 1968. Capitale : Malé 45 000 hab. Monnaie : roupie.

ÉCONOMIE (85) : noix de coco 10 000 t — coprah 2 000 t — pêche 38 500 t (84).

RÉPUBLIQUE DE SRI LANKA (Ceylan)

Sri Lanka Prajathanthrika Samajavadi Janarajaya ; 65 610 km² ; 16 000 000 d'hab. (est. 87) ; république depuis 1972, membre du Commonwealth. Capitale : Colombo 586 000 hab. (81). Monnaie : roupie cingalaise.

Villes (milliers d'hab., rec. 81) : Jaffna 118 — Dehiwala-Mount Lavinia 173 — Moratuva 135 — Kandy 101.
ÉCONOMIE : surtout agricole (1/3 du sol est cultivé mais l'irrigation permet d'étendre peu à peu les rizières). L'industrie reste peu développée. **Production** (milliers de t, 86) : riz 2 595 — thé 212 (3e prod. mond.) — caoutchouc 143 — noix de coco 2 958 — coprah 230 — graphite.

BIRMANIE

*Pyee-Daung-Su Myanma-Nainggan-Daw; 676 552 km² ; 38 800 000 hab. (est. 87)
république socialiste de l'Union de Birmanie. Capitale : Rangoon 2 500 000 hab.
(est. 86). Monnaie : kyat.*

Villes (milliers d'hab.) (83) : Mandalay 550 — Moulmein 220.

ÉCONOMIE : la forêt, très étendue, procure des ressources importantes. L'agriculture occupe
65 % de la pop. active. Dans les plaines, cult. irriguées et dans les montagnes, cult. sur brûlis.
Production (milliers de t, 86) : riz 14 466 (8ᵉ prod. mond.) — arachides 651 — sucre de canne —
tabac — sésame 165 (80) — pétrole — plomb argentifère — tungstène — concentrés d'étain
(15ᵉ rang mond.) — bois (85) 18,8 millions de m³ (surtout teck. 1ᵉʳ prod. mond.). Importantes
réserves de gaz.

THAILANDE (ex-Siam)

*Prades Thai, Muang-Thai, 514 000 km² ; 53 600 000 hab. (est. 87), monarchie.
Capitale : Bangkok (Krung Thep) (est. 86) ; 5 470 000 hab. Monnaie : baht.*

ÉCONOMIE : basée sur la culture du riz qui occupe 49 % des terres cultivées (18,2 millions de t,
en 86) et l'exploitation de l'étain (16 800 t en 86). **Autres productions** (milliers de t, 86) : manioc
16 100 — tabac 85 — coprah — caoutchouc 790 — coton — sésame — pêche — forêt (bois de
teck). **Élevage** (millions de têtes, 86) : bovins 4,8 — porcs 4,2. **Mines** : antimoine — concentrés
de tungstène — plomb — zinc — fer — wolfram. Importantes réserves de gaz naturel.

KAMPUCHÉA (ex-Cambodge)

*Preach Reach Ana Chak Kampotches; 181 035 km² ; 6 500 000 hab. (est. 87);
république populaire depuis 1970. Capitale : Pnom-Penh 500 000 hab. (86).
Monnaie : riel.*

Villes (milliers d'hab., est. 82, aggl.) : Battambang 150 — Kompong Cham 90. Depuis 1975, la
population khmère a été décimée (estimation 3 000 000 de morts).

ÉCONOMIE : fondée sur l'agriculture (essentiellement le riz), pêche et exploitation de la forêt,
l'économie commence seulement à se rétablir. **Production** (milliers de t, 86) : riz 1 250 — maïs —
haricots — soja — arachides — tabac — coton — bois de teck — caoutchouc naturel 16.

LAOS

*Pharaz Ana Tiak Lao ; 236 800 km² ; 3 800 000 hab. (est. 87) ; république populaire
depuis déc. 75. Capitale : Vientiane 377 000 hab. (est. 86). Monnaie : kip.*

ÉCONOMIE : riziculture dans les vallées ; en montagne, cultures sur brûlis et exploitation de
bois précieux (teck). **Production** (85) : riz 1,4 million de t — maïs — tabac — café — opium —
laque — étain (83) 352 t (métal contenu). Potentiel hydroélectrique important.

RÉPUBLIQUE SOCIALISTE DU VIET-NAM

*Công Hoa Xa Hôi Chú Nghiã Viêt Nam ; 329 556 km² ; 62 200 000 hab. (est. 87) ;
république. Capitale : Hanoi (aggl.) 2 900 000. hab. (est. 85). Monnaie : dong.
Comprend aujourd'hui l'ex-Viêt-nam du Sud.*

Villes (79) : Hô Chi Minh 3 419 000 hab. — Haiphong 1 279 000 — Da Nang 492 000 (78) —
Hué 209 000 (78).

ÉCONOMIE : de type collectiviste, produit du riz, exploite du charbon et s'industrialise, malgré
les ravages de la guerre. **Agriculture** : riz 16,2 millions de t (86) — maïs — soja — canne à sucre
— coton — thé — bois 1 626 000 m³ (86) — caoutchouc 58 000 t (85) — pêche en baie d'Along.
Mines : charbon — phosphates — chrome — sel, apatite.

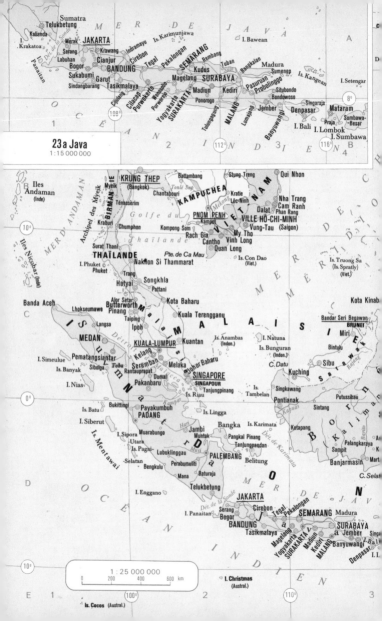

23a Java
1:15 000 000

1 : 25 000 000
0   200   400   600 km

P'ingtung
Tai-Wan (Formose)
Is. Batan (Phil.)
Détroit de Bachi
Détroit de Balingtang
Is. Babuyan
Laoag
C. Engaño
Tuguegarao
Ilagan
Baguio **LUZON** (Luçon)
Dagupan
Lingayen
Cabanatuan
Tarlac
QUEZON CITY
Olongapo
MANILA (Manille)
San Pablo
Batangas
I. Catanduanes
Legazpi
Mindoro
Marinduque
Tablas
Masbate
Roxas
Samar
Panay
CEBU
Iloilo
Leyte
Bacolod
Ormoc
Negros
I. Dinagat
Puerto Princesa
Dumaguete
I. Siargao
Surigao
Cagayan de Oro
Butuan
Pagadian
Iligan
Mindanao
DAVAO
Zamboanga
Isabela
Cotabato
I. Basilan
Jolo
Gen. Santos
I. Jolo
C. Tinaca
Is. Soulou

MER DES PHILIPPINES
OCÉAN PHILIPPINES
MER DE SOULOU

Clavería
Is. Babuyan
C. Engaño
Laoag
Aparri
Vigan
Tuguegarao
Bontoc
Ilagan
Palanan
San Fernando
Baguio
Casiguran
Lingayen
Dagupan
San José
Tarlac
Cabanatuan
Angeles
QUEZON CITY
Olongapo
MANILA (Manille)
Santa Cruz
Daet
Lipa
Lucena
I. Catanduanes
Batangas
San Pablo
Naga
Calapan
Baac
Virac
Mamburao
Marinduque
Tabaco
Legazpi
Iles Calamian
Romblon
Masbate
Catarman
Culion
Tablas
Calbayog
El Nido
Kalibo
Roxas
Cadiz
Catbalogan
Borongan
Is. Cuyo
Cuyo
Iloilo
Tacloban
Roxas
San José de Buenavista
Bacolod
San Carlos
Ormoc
Baybay
Puerto Princesa
Cauayan
Argao
Maasin
Dumaguete
Bohol
Tagbilaran
Surigao
Dipolog
Cagayan de Oro
Oroquieta
Ozamiz
Butuan
Pagadian
Iligan

MER DE CHINE MÉRIDIONALE
Baie de Manille
Mindoro
Dét. de Mindoro
Palawan
MER DE SOULOU
Mindanao

MER DES PHILIPPINES

MER DE CÉLÈBES
Tahuna
Is. Talaud
I. Tobi (É.U.)
Is. Sangihe
Manado
I. Morotai
Paleleh
Galela
Gorontalo
Jailolo
Ternate
Halmahera
Is. Mapia
Tomini
Golfe de Tomini
Weda
I. Waigeo
Donggala
Palu
Luwuk
I. Peleng
I. Bacan
Salawati
Sorong
Wakre
Manokwari
Biak
I. Biak
C. Perkam
Poso
I. Taliabu
I. Obi
I. Misool
Steenkool
Golfe de l'Irian
Y. Yapen
Sarmi
Palopo
Malili
I. Mangole
I. Sanana
Nabire
Jayapura
Is. Sula
Wahai
Fakfak
Parepare
I. Buru
Namlea
Amahai
Kaimana
Watampone
I. Butung
Ambon
Kokonau
I. Ambon
Kendari
Tanahmerah
I. Kabaena
Baubau
Tual
Dobo
I. Wokam
Bonthain
I. Selayar
I. Kai
I. Kobroor
Merauke
I. Trangan
I. Florès
I. Lomblen
I. Wetar
I. Babar
I. Larat
I. Yamdena
Reo
Is. Alor
Manatuto
Dili
I. Moa
Saumlaki
I. Selaru
C. Vals
I. Yos Sudarsa
Ende
Pante Macassar
Kupang
I. Timor
Waingapu
I. Sawu
I. Roti
MER DE TIMOR
I. Melville
Is. Wessel
Darwin
AUSTRALIE

PACIFIQUE
Équateur
Nouvelle Guinée
PAPOUASIE-NOUVELLE GUINÉE
MER DES MOLUQUES
MER DE CÉRAM
MER DE BANDA
MER DE FLORÈS
MER DE SAWU
MER D'ARAFURA
SULAWESI (Célèbes)

MALAISIE

État fédéral membre du Commonwealth. Comprend la Malaisie occidentale (ou États Malais) et la Malaisie orientale constituée de deux parties de Bornéo (Sabah et Sarawak). 329 749 km² ; 16 100 000 hab. (est. 87) pour l'ensemble de la Malaisie. Capitale : Kuala Lumpur 1 150 000 hab. (est. 86). Monnaie : ringitt.

Divisions administratives : 9 sultanats et 4 États.

Villes (milliers d'hab., 84) : Ipoh 300 — Penang (Georgetown) 260 (aggl. 1 000) — Johore Bahru 250.

Population (85) : Malais 56 % — Chinois 33 % — Indiens et autres 10 %.

ÉCONOMIE : assez prospère, grâce aux ressources procurées par les plantations commerciales (surtout caoutchouc), minerai d'étain et pétrole ; les cultures vivrières sont insuffisantes. **Production** (milliers de t, 86) : riz 1 960 — caoutchouc 1 450 (1er prod. mond.) — huile de palme 4 650 — palmiste 1 350 — coprah 216 — ananas — pêche — fer (métal contenu) 120 — étain (minerai) 29 (1er prod. mond.) — bauxite 566,2 — manganèse — or 2 749 kg — pétrole 24,5 millions de t — gaz naturel encore peu exploité, mais importantes réserves. **Exportations** (86) : 35,8 milliards de ringitts — caoutchouc — pétrole — étain. **Importations :** 27,9 milliards de ringitts — prod. alimentaires — prod. manufacturés — biens d'équipement.

SINGAPOUR

République de Singapour ; 581 km² ; 2 600 000 hab. (est. 87) ; après avoir adhéré en 63 à la Féd. de la Malaisie, Singapour est devenu un État indépendant en 65, membre du Commonwealth. Capitale : Singapour 2 590 000 hab. (86). Monnaie : dollar de Singapour.

ÉCONOMIE : base aérienne et navale, grand centre commercial, Singapour a une industrie très développée (raffinerie de pétrole — fonderie d'étain — constructions navales [le port de Singapour est le 3e du monde] — industries textiles et chimiques — technologie de pointe). L'île, rattachée au continent par un viaduc routier et ferroviaire, porte des plantations (ananas — cocotiers — hévéas) et des cultures maraîchères. Élevage de type industriel (poules — canards — porcs).

INDONÉSIE

Republik Indonesia ; 1 904 345 km² ; 174 900 000 hab. (est. 87). En 1963 Irian Banat et en 1976 Timor se sont rattachés à l'Indonésie. Capitale : Djakarta 7 900 000 hab. (est. 86). Monnaie : roupie indonésienne, subdivisée en 100 sen.

Divisions administratives : 19 provinces dans les îles de Sumatra — Java — Madoura — Bali — Kalimantan — Sulawesi — Moluques — partie occidentale de la Nouvelle-Guinée — Timor depuis 1976 (14 925 km² ; 650 000 hab.). **Villes** (milliers d'hab., rec. 80) : Sourabaya 2 027 — Bandoung 1 452 — Semarang 1 026 — Malang 511 — Surakarta 469 — Kupang 403.

ÉCONOMIE : pays essentiellement agricole (52 % de la pop. active), qui ne satisfait pas à ses besoins ; les cultures commerciales sont insuffisantes pour rétablir l'équilibre ; l'élevage, défavorisé par le climat, est d'un maigre profit ; la pêche, restée artisanale, procure un complément de ressources alimentaires ; l'industrialisation se développe depuis l'exploitation du pétrole et du gaz naturel ; mais ce grand pays (5e rang par la population) est malade de trop de contraintes bureaucratiques et continue de bénéficier d'importantes aides internationales.

INDONÉSIE (suite)

Agriculture vivrière (millions de t, 86) : riz 39,1 — manioc (85) 14,5 — patate douce — la pratique du *ladang*, culture temporaire sur brûlis, sévit, sauf à Java. **Agriculture commerciale** (milliers de t, 86) : caoutchouc 1 016 — sucre 1 860 — arachides 844 — huile de palme 1 450 — soja 1 890 — thé 121 — café 399 — tabac 170 — écorce de quinquina. **Élevage** (millions de têtes, 86) : bovins 6,9 — caprins 11,1 — porcs.

Ressources minérales (86) : pétrole *(Bornéo — Sumatra)* 69,7 millions de t — gaz 35,8 milliards de m³ — étain *(Bangka — Billiton)* minerai 24 600 t (3ᵉ prod. mond.) — nickel (métal contenu) 67 300 t — bauxite 649 900 t.

Exportations : 14,8 milliards de dollars — pétrole 59 % — gaz — caoutchouc — coprah — étain — tabac — huile de palme — thé — café. **Importations** : 10,7 milliards de dollars — biens d'équipement — prod. alimentaires.

PHILIPPINES

Republica de Filipinas — Republika ñg Pilipinas ; 300 000 km² ; 61 500 000 hab. (est. 87). Capitale : Manille 7 800 000 hab. (aggl., est. 86). Monnaie : peso.

Villes (milliers d'hab.) (est. 80) : Quezon City 1 166 — Davao 611 — Cebu 489 — Iloilo 244.

ÉCONOMIE : en rapport étroit avec les États-Unis qui achètent des produits de plantation, des minerais et des produits de la forêt en échange de la fourniture de biens d'équipement, denrées alimentaires et textiles et entretiennent des bases navales et aériennes.

Agriculture vivrière (millions de t, 86) : riz *(Luçon)* 9,3 — maïs *(Cebu)* 4,1 — manioc — patate douce — noix de coco (2ᵉ prod. mond.). **Cultures commerciales** (milliers de t, 86) : coprah (1ᵉʳ prod.) 2 338 — canne à sucre 14 600 — tabac 56 — abaca (chanvre de Manille) — café 137. **Élevage** (millions de têtes, 86) : buffles 4,3 — bovins 1,7 — porcs 7,3. **Pêche** (86) 1 857 500 t. **Forêts** : couvrent 44 % du sol et fournissent des ressources importantes.

Mines (86) : or 34 422 kg — argent 525 t — chrome — cuivre 217 000 t — fer — nickel 12 700 t — manganèse.

RÉPUBLIQUE POPULAIRE DÉMOCRATIQUE DE CORÉE (Corée du Nord)

Chosun Minchu-chui Inmin Konghwa-guk ; rép. populaire démocratique de Corée ; 120 538 km² ; 21 400 000 hab. (est. 87). Capitale : Pyong Yang 1 283 000 hab. (81). Monnaie : won.

Villes (milliers d'hab., 81) : Hungnam 775 — Chongjin 490 — Wonsan 398.

ÉCONOMIE : agriculture en progrès, gisements minéraux importants et industrie développée. **Productions** (milliers de t, 86) : riz 6 000 — millet 545 — orge — soja — charbon 70 000 — lignite — plomb 85 — zinc 225 — tungstène — magnésite — or.

Industries : sidérurgie — chimie — textiles — engrais et textiles artificiels.

RÉPUBLIQUE DE CORÉE (Corée du Sud)

Han Hook ; 98 484 km² ; 42 100 000 hab. (est. 87). Capitale : Séoul 9 500 000 hab. (84). Monnaie : won.

ÉCONOMIE : dispose des meilleures terres agricoles. **Production** (milliers de t, 86) : riz 7 800 — blé — orge 450 — soja 272 — pêche (9ᵉ rang mond.) — charbon — argent — or.

Industrie : marche sur les traces du Japon. Industries légères — industries chimiques. Machines. Automobiles. Informatique. Métallurgie.

CHINE:

Régions autonomes:
1 Guangxi Zhuang Z.
2 Nei Monggol Zizhiqu
(Mongolie Interieure)
3 Ningxia Huizu Z.
4 Xinjiang Uygur Z.
(Sinkiang)
5 Xizang Z. (Tibet)

Provinces:
6 Anhui
7 Fujian
8 Gansu

9 Guangdong
10 Guizhou
11 Hebei
12 Heilongjiang
13 Henan
14 Hubei
15 Hunan
16 Jiangsu
17 Jiangxi
18 Jilin
19 Liaoning
20 Qinghai

21 Shandong
22 Shaanxi (Chen-si)
23 Shānxi (Chan-si)
24 Sichuan
25 Taiwan (Tai-Wan)
26 Yunnan
27 Zhejiang

Municipalities:
28 Beijing (Pekin)
29 Shanghai
(Chang-hai)
30 Tianjin (Tien-tsin)

1 : 25 000 000

0   200   400   600

CHINE (République populaire chinoise)

Chung-Hua Jem-Min Kung-Ho ; 9 596 961 km² ; 106 000 000 d'hab. (est. 87).
Capitale : Beijing (Pékin) (est. 86) 12 900 000 hab. Monnaie : yuan.

Divisions administratives : 21 provinces, 3 « municipalités » et 5 régions autonomes. L'ensemble est regroupé en 6 régions *(Nota : Taiwan est considéré comme une 22ᵉ province par les autorités de la Chine populaire.)* **Villes** (milliers d'hab., est. déc. 83) : Shanghai 5 670 — Tianjin (Tien Tsin) 5 220 — Shenyang 4 080 — Wuhan 3 280 — Guangzhou (Canton) 3 170 — Chonging 2 700 — Harbin 2 560 — Chengdu 2 510 — Zibo 2 264 — Xian 2 220 — Nanjing (Nankin) 2 170 — Taiyuan 1 790 — Chang-chun 1 770 — Dalian 1 520 — Zhengzhou 1 517 — Kunming 1 450 — Lanzhou 1 430.

ÉCONOMIE : les structures agraires et industrielles sont dans une phase de transition qui doit **faire passer l'économie traditionnelle** (agriculture aux rendements insuffisants — terres cultivables non exploitées — rares industries animées par des capitaux étrangers, etc.) **à une économie socialiste.** Une redistribution de 45 millions d'hectares au bénéfice de 100 millions de paysans, des déplacements de population rurale, et la création des « communes populaires », sont les étapes d'une *réforme agraire* qui a visé à une mise en valeur plus rationnelle des terres et à la libération d'une importante main-d'œuvre nécessaire à l'industrialisation. Les communes populaires ont été abandonnées en 1981. Une politique de libéralisation de l'économie a permis un très important boom économique. Celui-ci s'effectue très rapidement, favorisé par d'immenses réserves minérales, la création de centrales électriques, le développement d'une puissante industrie sidérurgique, l'abondance de la main-d'œuvre palliant l'insuffisance de capitaux. Malgré une grande amélioration, les communications restent l'un des points faibles de la Chine. Le commerce a fait des progrès et les échanges se sont intensifiés avec les pays socialistes, le Japon, l'Allemagne féd. et la France.

Cultures vivrières (est. 86, en millions de t) : riz (surtout dans le Sud) 171 (1ᵉʳ prod. mond.) — blé (surtout dans le Nord) 89 — millet 6,1 — maïs 64,3 — soja 11 (3ᵉ prod. mond.) — arachides 6,4 (2ᵉ prod.). **Cultures commerciales** (est. 86, en milliers de t) : sucre (canne et bett.) 6 000 — sésame (2ᵉ prod. mond.) 275 — fibres de coton 3 957 — soie — jute — thé *(Se Tchouan)* 490 (2ᵉ prod. mond.) — tabac 2 036. **Pêche** : 7,3 millions de t (86). **Élevage** (millions de têtes, 86) : bovins 68,9 — porcs 338 — ovins 94,2.

Ressources énergétiques considérables (millions de t, 86) : houille 795 — pétrole 130 — électricité 430 milliards de kWh — importance centrale des minerais radioactifs. **Mines** (est. 86, milliers de t.) : minerai de fer (métal contenu) 71 200 — bauxite 2 300 — cuivre 300 — plomb 220 — zinc 220 — soufre — tungstène 14 (1ᵉʳ prod. mond.) — antimoine 1,4 (1ᵉʳ prod. mond.) — mercure — étain 20 — sel (78) 30 000 — phosphates — magnésie.

Industrie : acier 52 millions de t, en 86 — métallurgie des métaux non ferreux (milliers de t, 84) : aluminium 480 — usines de matériel lourd et roulant — ciment 161 000 — industries chimiques en expansion.

Exportations : denrées agricoles — minéraux — pétrole (en baisse) — tissus de coton. **Importations :** blé — matériel d'équipement — produits chimiques.

MONGOLIE

Bugd Nayramdakh Mongol Ard Uls ; 2 000 000 de km² ; 1 900 000 hab. (est. 87) ;
république démocratique populaire. Capitale : Oulan-Bator ; 465 000 hab. (est. 86).
Monnaie : tughrik.

ÉCONOMIE : essentiellement pastorale avec quelques industries issues de l'élevage. Les terres cultivées représentent seulement 1 % du territoire. Les pâturages occupent 79 % du sol, la forêt 9,7 %. Riche pays minier (charbon — cuivre — métaux rares — fluor — wolfram). **Élevage** (millions de têtes, 86) : bovins 2,3 — ovins 13 — chevaux 1,9 — porcs.

JAPON

Nippon ou Nihon; 377 765 km²; (plus les îles Bonin et Volcano 132 km²), 122 200 000 hab. (est. 87); empire. Capitale : Tokyo (aggl.) 8 400 000 hab. (est. 86). Monnaie : *yen.*

Divisions administratives : 46 préfectures *(todofuken).* **Villes** (milliers d'hab., 85) : Yokohama 2 993 — Osaka 2 636 — Nagoya 2 116 — Sapporo 1 543 — Kyoto 1 479 — Kobé 1 411 — Fukuoka 1 160 — Kawasaki 1 089 — Kita-Kyusku 1 056 — Hiroshima 1 044 — Sakai 818 — Sendaï 700 — Okayama 572 — Kumamoto 556 — Kagoshima 530 — Hamamatsu 514 — Chiba 514 — Amagasaki 509 — Niigata 476 — Shizuoka 468 — Himeji 453 — Kanazawa 430 — Yokosuka 427 — Nishinomiya 421.

ÉCONOMIE : très peu de terres à cultiver (13 % du sol), des ressources énergétiques insuffisantes, de modestes gisements de fer... A ces conditions défavorables, l'ingéniosité et le labeur de tout un peuple ont répondu en développant une agriculture intensive, en créant une sidérurgie qui occupe le 3e rang mondial, et en partant à la conquête des grands marchés de consommation, gagnant ainsi le titre de 3e puissance mondiale. **Population active** (85) : 58,07 millions — agriculture 8,9 % — industrie 34,9 % — secteur tertiaire 56,2 %.

Agriculture : 5,4 millions d'hectares cultivés, répartis en exploitations minuscules, assurent 50 % de l'alimentation, en donnant plusieurs récoltes par an. Les rizières inondables s'entourent de champs où poussent légumes, canne à sucre, coton, tabac et arbres fruitiers. Les pentes des montagnes sont couvertes de théiers et mûriers. **Production** (millions de t, 86) : riz 14,5 — blé 0,8 — orge 0,3 — millet — soja 0,2 — sucre de canne 0,8 — patate douce 1,4 — fruits et agrumes — thé 94 000 t — tabac 124 000 t. **Pêche** (85) : 11,9 millions de tonnes (1er prod. mond.) — 2 millions de pêcheurs env. pratiquent la pêche côtière — la grande pêche s'étend à toutes les mers du globe — la pêche à la baleine (317 capturées en 86 malgré les accords de 1986 réglementant sévèrement cette pêche). **Élevage** peu développé (millions de têtes, 81) : bovins 4,4 — porcs 10 — ovins. **Forêt** (85) : reboisement en cours — 40,3 millions de m³ (83) de bois rond — pâte de bois 9,3 millions de t — papier et carton 20,5 millions de t.

Ressources énergétiques (millions de t, 86) : houille 16 — pétrole 0,6 — gaz 2,5 milliards de m³ — capacité de raffinage 217 (3e rang mondial). **Électricité :** 557 milliards de kWh (29 % nucléaire). **Mines** (milliers de t, 86) : fer (métal contenu) 160 — cuivre 35 — plomb 40,3 — zinc 222 — manganèse 26 (84) — argent 315 t — étain 1,5 — soufre — aluminium 140,2. La plus grande partie des matières premières est importée.

Industries : à côté d'un artisanat traditionnel qui a conservé un rôle important, la grande industrie moderne se caractérise par la concentration géographique, l'intégration financière et la haute qualité des productions. **Métallurgie** (millions de t, 86) : fonte 75,7 — acier 98,2 (2e prod. mond.) *(Yawata* et tout le district de *Kita Kyushu — Osaka/Kobé)* — constructions navales (1er rang mondial) 7,7 millions de tonneaux *(Kita Kyushu)* — véhicules automobiles (1er prod. mond. 86) 7 811 000 de tourisme et 4 457 800 utilitaires — motoculteurs — machines diverses — appareils photographiques — radio — téléviseurs — électronique — horlogerie. **Textiles** (milliers de t, 86) : filés de coton (6e rang mond.) 445 *(Tokyo/Yokohama)* — filés de laine 112 — soie grège (1er prod. mond.) — tissus synthétiques 1 399 (2e rang mond.). **Chimie** (millions de t, 86) : acide sulfurique — soude caustique — superphosphates — plastiques et résines 7,3 — produits dérivés du pétrole — ciment 71,2 (84).

Communications : chemins de fer 26 908 km — routes 1 125 000 km — flotte (86) 38,4 millions de tonneaux. **Exportations** (86) : 35,2 milliards de yens — acier — cotonnades — tissus — et de très nombreux produits manufacturés vendus sur tous les marchés mondiaux. **Importations :** 21,5 milliards de yens — matières premières et produits alimentaires.

Les îles BONIN (Ogasawara Gunto); 104 km²; 203 hab.; 27 îles réparties en trois groupes : Bailey — Beechey — Parry (base navale à Chichi Jima); les îles Marcus et Rosario; les îles Volcano (Kazan Retto) 28 km² (base aérienne à Iwo Jima) qui étaient depuis 1945 administrées par la marine américaine, ont été restituées au Japon en avril 1968.

(Suite p. 110)

25 a Tai Wan (Formose) 1:12 500 000

JAPON (suite)

Les îles RYUKYU ; 2 196 km² ; 1 000 000 d'hab. (est. 81) ; territoire placé jusqu'en 1974 sous administration américaine et faisant depuis partie intégrante du Japon. L'île la plus importante est Okinawa où se trouve la capitale : Naha City (85) 304 000 hab.

TAIWAN (Formose)

Taiwan et les îles voisines ; 35 981 km² ; 19 600 000 hab. (est. 87) ; république. Capitale : Taipei 2 500 000 hab. (est. 86). Monnaie : nouveau dollar de Taiwan.

Villes (milliers d'hab., 86) : Kao Sioung 1 309 — Tai Tchoung 682 — Tai Nan 642.
ÉCONOMIE : Cult. vivrières (milliers de t) (85) : riz 2 174 — blé — patate douce 369 — thé 23 — arachides — soja. **Cult. commerciales** : canne à sucre 6 500 000 t (86) — tabac — banane — ananas. Porcs 6 600 000. Pêche active 1 037 000 t (84). Seules ressources du sous-sol : charbon 1,9 million de t (85) — gaz naturel 1,1 milliard de m³. Industrie prospère orientée vers les technologies avancées.

BRUNEI

Le Sultanat de Brunei, 5 765 km² ; 200 000 hab. (est. 87), est devenu État souverain le 31 déc. 1983. Il fait partie du Commonwealth. Capitale : Bandar Seri Begawan (Brunei) 60 000 hab. (est. 86). Monnaie : dollar de Brunei.

Ressources : pétrole : 7,5 millions de t (86), gaz naturel 10 milliards de m³ (85).

TERRITOIRES NON SOUVERAINS

Possessions britanniques

HONG KONG : *colonie de la Couronne ; 1 045 km² ; 5 500 000 hab. (est. 86), administrée par un gouverneur. Capitale : Victoria 2 100 000 hab. (aggl. 86). Autre ville : Kow Loon 1 600 000 hab. Monnaie : dollar de Hong Kong.*
1984, accord Chine et G.-B. : souveraineté chinoise sur H.K. le 1.7.97.
ÉCONOMIE : l'industrie emploie 43 % de la population active : textiles — métallurgie — électronique — industries légères. Grand centre commercial et entrepôt. **Exportations** (80) : 68,2 milliards de dollars de H.K. **Importations** : 111,6 milliards de dollars de H.K. Par Hong Kong, s'effectue 12 % du total du commerce chinois.

Possession portugaise

MACAO : *16 km² ; 400 000 hab. (est. 87) ; territoire portugais d'outre-mer. Capitale : Macao. Monnaie : pataca.*
Ressources : port d'escale et de transit fortement concurrencé par Hong Kong, assure un trafic, en partie clandestin, avec la Chine. **Exportations** (85) : 7 181 millions de patacas. 70 % vêtements et textile — jouets 11,5 %. **Importations** : 6 179 millions de patacas.

AFRIQUE — géographie physique

Le continent africain est situé de part et d'autre de l'Équateur. Son nom « Africa » désignait seulement la partie Nord, habitée par la tribu berbère des Afos.
Séparée de l'Europe par le détroit de Gibraltar (15 km), l'Afrique est reliée à l'Asie par l'isthme de Suez. En incluant, dans l'Atlantique, les îles *Canaries, Madère, du Cap-Vert, Fernando Pô, Sao Tomé, Sainte-Hélène, Ascension, Tristan da Cùnha*, et dans l'océan Indien : *Madagascar, les Comores, les Mascareignes, les Seychelles, Zanzibar, Pemba* et *Socota*, la superficie est de 30 244 000 km² (55 fois la surface de la France) ; la population s'élève à 551 millions d'habitants (1985) (densité moyenne de 18 hab/km²). Le point le plus septentrional est le cap Blanc, en Tunisie (37°20 Nord), le plus méridional le cap des Aiguilles, en Rép. Sud-Africaine (34°51 Sud). Le point le plus à l'ouest est le cap Vert, au Sénégal (17°35 Ouest), le plus à l'est, le cap Ras Hafoun, en Somalie (51°24 Est).

Côtes : d'une longueur de 30 500 km, les côtes sont moins découpées que celles des autres continents. Le plus souvent basses, sablonneuses et bordées de lagunes, parfois de hautes falaises, elles sont inhospitalières et l'accès en est rendu plus difficile encore par la « barre », énormes vagues déferlant en rouleau.

Structure : le bloc africain depuis longtemps dessiné dans sa forme n'a subi que de modestes rectifications de ses contours. Continent le plus ancien sur lequel s'édifièrent des chaînes, rasées et aplanies, le socle est constitué de roches anciennes. Les mers secondaires et tertiaires ont recouvert partiellement l'Afrique du Nord et occidentale ; ailleurs les couches sédimentaires ne forment qu'une frange étroite le long du rivage actuel. Au bouclier massif et monotone, formé de gneiss et granites, s'oppose la chaîne de l'Atlas apparue en bordure de la Méditerranée au moment où naissaient les Alpes. A l'extrémité Sud, la chaîne hercynienne du Cap a plissé les grès du Karroo. Les dislocations de l'écorce terrestre n'ont produit sur le socle rigide que des bombements et des failles jalonnées de volcans : l'une de ces fractures s'étend des îles du golfe de Guinée au mont Cameroun. C'est en Afrique orientale, du Zambèze à la Syrie, que le phénomène est le plus marqué.

Relief : Le relief est monotone, où alternent sans ordre surfaces déprimées et surélevées. A l'Ouest et au Centre les cuvettes du Niger, du Tchad et du Congo, plus à l'Est celle du haut Nil sont immenses. Au Sud, celles du Kalahari et du Zambèze sont plus petites et moins déprimées. Ces cuvettes sont séparées par des plateaux en gradins. Les massifs n'atteignent pas 2 000 m à l'Ouest *(Fouta-Djalon)*, ils dépassent 3 800 m au Sud *(Drakensberg)*, tandis qu'en Afrique orientale les plateaux ont souvent plus de 2 000 m et que les blocs surélevés dépassent 5 000 m *(Ruwenzori)*. Les plus hauts sommets sont des édifices volcaniques : *Kilimanjaro* (5 895 m) en Tanzanie, *Cameroun* (4 070 m). D'autres massifs volcaniques : Ahaggar, Tibesti, Aïr, se dressent dans le Sahara. L'Atlas formé de deux chaînes parallèles séparées par des « hautes plaines » (plus de 1 000 m), s'étend sur le Maghreb et culmine à 4 165 m au *Toubkal*.

Altitude moyenne : 670 m ; le sommet le plus élevé est situé dans le *Kilimanjaro* ; le point le plus bas est la dépression du *lac Assal* (174 m au-dessous du niveau de la mer).

Fleuves : ils ont des tracés capricieux et doivent franchir, pour parvenir à la mer, le rebord montagneux et abrupt des plateaux. Des régions immenses sont sans écoulement régulier vers la mer. Certains cours d'eau se perdent dans les lagunes intérieures. Les fleuves ne sont navigables que sur les sections sans rapides.

Climats : toute l'Afrique est un continent chaud où seule le régime des pluies détermine les saisons. Seules les franges septentrionales et méridionales et quelques régions élevées connaissent un climat tempéré. Les zones se succèdent, symétriques, dans les deux hémisphères : équatoriale, tropicale, désertique, tempérée. **Températures moyennes** en degrés centigrades (et précipitations en millimètres) : Madère 18'3 (684) — Alger 15'9 (696) — Ghadamès 22'8 (18) — Le Caire 21'2 (32) — Dakar 25' (548) — Kayes 29'4 (739) — Zinder 28'1 (628) — Assouan 25' (0) — Addis Abeba 15'3 (1 217) — Djibouti 29'3 (132) — Lagos 26'9 (1 819) — Port-Gentil 26' (2 002) — Kinshasa 25'2 (1 404) — Antananarivo 16'7 (1 400) — Le Cap 16'4 (632).

Végétation : La forêt dense, de peu de valeur, occupe la zone équatoriale, aux pluies continuelles. Avec la diminution des pluies apparaissent la forêt galerie, la savane boisée et la savane herbeuse qui sont le domaine de la zone tropicale. Les steppes encadrent les zones désertiques. Aux extrémités, la zone méditerranéenne (steppe, maquis et forêt claire).

AFRIQUE

FLEUVES LES PLUS LONGS

	Longueur en km	Bassin en km²
Nil	6 600	2 840 000
Congo	4 800	3 820 000
Niger	4 100	2 090 000
Zambèze	2 600	1 300 000
Orange	1 800	1 000 000
Okawango	1 800	780 000
Limpopo	1 600	440 000
Sénégal	1 400	440 000
Chari	1 400	880 000

LACS LES PLUS VASTES

	Sup. km²	Altitude en m.	Profondeur en m.
Victoria	68 000	1 134	80
Tanganyika	31 000	773	1 435
Nyassa	30 000	473	706
Tchad	var.	240	6-7
Rodolphe	8 000	427	73
Albert	5 300	652	48
Moero	4 920	931	14
Bangweolo	2 330	1 140	4
Tana	3 060	1 830	14

MONTAGNES LES PLUS ÉLEVÉES (altitude en mètres)

Kibo [*Kilimanjaro-Tanzanie*]	5 895
Kenya [*Kenya*]	5 199
Ruwenzori [*Uganda*]	5 119
Ras Dajan [*Éthiopie*]	4 620
Elgon [*Uganda*]	4 321
Djebel Toubkal [*Haut-Atlas-Maroc*]	4 165
Thabana Ntlenyana [*Drakensberg*]	3 482
Emi Koussi [*Tibesti*]	3 415
Mont-aux-Sources [*Drakensberg*]	3 300

Marra [*Dar. Four*]	3 088
Piton des Neiges [*Réunion*]	3 069
Tahat [*Ahaggar*]	3 000
Tsaratanana [*Madagascar*]	2 880
Sinaï [*Presqu'île du Sinaï*]	2 637
Brandberg [*Namibie*]	2 606
Djebel Chélia [*Algérie*]	2 328
Loma [*Sierra Leone*]	1 946
Nimba [*Libéria-Guinée*]	1 854

ILES LES PLUS ÉTENDUES

	Sup. km²
Madagascar [*océan Indien*]	587 000
Socotra [*Rép. Sud-Yémen*]	3 580
Réunion [*océan Indien-France*]	2 510
Fernando-Pô [*G. de Guinée-Espagne*]	2 017
Maurice [*océan Indien*]	1 865
Zanzibar [*Tanzanie*]	1 667
Grande-Comore [*o. Indien-France*]	1 150
São Tiago [*Iles du Cap-Vert*]	991
Pemba [*Tanzanie*]	984

PRINCIPAUX VOLCANS

	Alt. en m	Dernière éruption
Kilimanjaro [*Tanzanie*]	5 895	
Meru [*Tanzanie*]	4 565	1910
Mont Cameroun [*Cameroun*]	4 070	1922
Karisimbi [*monts Virunga*]	4 507	éteint
Pico de Teyde [*Iles Canaries*]	3 707	1909
Niragongo [*monts Virunga*]	3 469	1954
Nyamlagira [*monts Virunga*]	3 058	1952
Foyo [*Iles du Cap-Vert*]	2 829	éteint
Piton de la Fournaise [*Réunion*]	2 515	1953

DÉSERTS LES PLUS GRANDS

	Sup. km²
Sahara [*Maroc-Algérie-Tunisie-Libye-Soudan*]	7 700 000
Libye [*Libye-Egypte*]	1 683 000
Kalahari [*Afrique du Sud*]	518 000
Nubie [*Soudan*]	310 000
Arabique [*Égypte*]	300 000

CHUTES D'EAU LES PLUS HAUTES

	hauteur en m
Tugela [*Afr. du Sud*]	948
La foi [*Zaïre*]	384
Kalambo [*Tanzanie-Zambie*]	215
Murchison (sur le Nil) [*Uganda*]	122
Victoria sur le Zambèze [*Zambie-Zimbabwé*]	122

AFRIQUE — géographie humaine et politique

Très anciennement habitée par l'homme, l'Afrique, berceau de très vieilles civilisations, a joué un rôle important dans les origines de l'humanité. Aujourd'hui, sur **20 % des terres émergées,** l'Afrique rassemble **un peu plus de 11 % de la population mondiale.** La densité (18 hab/km²), la même que celle de l'Amérique du Nord, n'a pas grande signification : le Sahara qui occupe le quart de l'Afrique est presque vide d'hommes, tandis que dans la vallée et le delta du Nil, le chiffre de 1 000 hab./km² est une moyenne parfois dépassée. L'accroissement actuel et rapide de la population est tel que certaines régions *(Maghreb, vallée du Nil)* souffrent de surpeuplement, c'est-à-dire que les habitants n'y trouvent ni ressources ni emplois suffisants.

Races : des peuples primitifs subsistent encore *(Pygmées, Bochimans)*, refoulés dans les régions déshéritées par d'autres peuples noirs : les *Soudanais* qui occupent l'Afrique occidentale et centrale, et les *Bantous* au sud d'une ligne allant du Cameroun au lac Victoria. Les peuples africains de race blanche sont groupés au Nord du continent : *Berbères* et *Arabes*. Les *Hamites* ou *Éthiopiens* fortement mélangés aux populations noires ont été sémitisés. Les influences malaises sont très marquées à Madagascar où l'on trouve des populations de race jaune : les *Hovas*. Au XIXᵉ siècle, des Européens se fixèrent en Afrique : *Français* au Nord, *Hollandais*, puis *Anglais* au Sud.

Période coloniale : longtemps les Européens ne connurent, de l'Afrique, que la côte nord, où Portugais et Espagnols installèrent, au XVᵉ siècle, des postes ou « présides ». Le périple du continent (Sénégal, 1482 — embouchure du Congo, 1487 — cap de Bonne-Espérance, 1500) conduisit à la création de comptoirs pour le commerce des denrées précieuses (or et ivoire) et surtout à la traite des esclaves. L'exploitation du continent, poursuivie tout le XVIIIᵉ siècle, ne laissa plus comme « terra incognita » que la partie centrale. De 1870 à 1914, les puissances européennes procédèrent à un véritable partage de l'Afrique et au début de la seconde guerre mondiale, il ne subsistait, en Afrique, qu'un seul territoire indépendant : le Libéria, fondé en 1847 par des Noirs américains émancipés (l'Éthiopie, indépendante depuis toujours, avait été « annexée » par l'Italie en 1936).

Émancipation : Conséquence de la seconde guerre mondiale, l'effondrement du système colonial a été rapide et la physionomie de l'Afrique a été bouleversée. Obtenue soit par des voies pacifiques à la suite d'accords, soit à l'issue de conflits douloureux (Algérie), l'indépendance a permis aux peuples anciennement colonisés de prendre en main les destinées de leur pays. Le découpage colonial, souvent arbitraire, a été le cadre des nouveaux États dont les frontières n'englobent pas toujours des unités économiques ou humaines satisfaisantes. Le morcellement politique est compensé, au moins partiellement, par des ententes entre États et une solidarité, affermie par la volonté de plusieurs chefs d'État, de travailler à l'unité de l'Afrique. L'Organisation de l'Unité Africaine a été créée en 1963 et regroupe 50 États. Siège : Addis Abeba. Tous les États ont en commun les mêmes problèmes : formation de cadres autochtones, transformation des techniques agricoles, industrialisation.

Accords de coopération : A l'exception de territoires non souverains (p. 131), les États indépendants n'ont généralement pas rompu d'une façon totale avec l'ancienne métropole. L'indépendance a suscité des liens nouveaux et originaux d'ordre culturel et économique. Le *Commonwealth britannique*, auquel a cessé d'adhérer la Rép. Sud-Africaine, réunit en Afrique : le Ghana (1957) — le Nigeria (1960) — la Sierra Leone (1961) — la Tanzanie (1961) — l'Ouganda (1962) — le Kenya (1963) — le Malawi (1964) — la Zambie (1964) — la Gambie (1965) — le Botswana (1966) — le Lesotho (1966) — l'île Maurice (1968) — le Swaziland (1968) — le Zimbabwe (1980). La France conserve des liens privilégiés avec les États indépendants de l'ancienne Afrique occidentale et équatoriale. Entre ces États, comme avec la République démocratique de Madagascar, et les anciennes colonies ou protectorats d'Afrique du Nord (Maroc, Algérie, Tunisie), une *communauté de langue* assure — mieux que ne le feraient des conventions éphémères — une volonté réciproque de maintenir une étroite solidarité, qui s'exprime par une aide technique, des accords culturels et une harmonisation des positions diplomatiques. L'indépendance de l'Afrique constitue l'événement essentiel de ce milieu du XXᵉ siècle. En 1973 a été créée une Communauté économique de l'Afrique de l'Ouest (C.E.A.O.) regroupant 42 millions d'habitants (Bénin, Côte-d'Ivoire, Burkina Faso, Mali, Mauritanie, Niger, Sénégal, Togo).

27a Tunisie et Est Algérien
1:15 000 000

AFRIQUE

Pays (et page de la notice géographique)	Superficie en km²	Population	Année	Densité au km²
Algérie (p. 119)	2 381 741	23 500 000	est. 1987	9,9
Angola (p. 131)	1 246 700	8 000 000	»	6,4
Bénin (p. 126 bis)	112 622	4 300 000	»	38,2
Botswana (p. 130)	600 372	1 200 000	»	2
Burkina Faso (ex-Hte-Volta) (p. 122)	274 200	7 300 000	»	26,6
Burundi (p. 126)	27 834	5 000 000	»	179,6
Cameroun (p. 126)	475 442	10 300 000	»	21,7
Cap-Vert (îles du) (p. 131)	4 033	335 000	est. 1986	83,1
Centrafricaine (Rép.) (p. 126 bis)	622 984	2 700 000	est. 1987	4,3
Comores (p. 131)	2 171	480 000	est. 1986	221,1
Congo (Brazza) (p. 126)	342 000	2 100 000	est. 1987	6,1
Côte-d'Ivoire (p. 123)	322 462	10 800 000	»	33,5
Djibouti (République de) (p. 131)	22 000	460 000	est. 1986	20,9
Égypte (p. 122 bis)	1 001 449	51 900 000	est. 1987	51,8
Éthiopie (p. 122 bis)	1 221 900	46 000 000	»	37,6
Gabon (p. 126)	267 667	1 200 000	»	4,5
Gambie (p. 123)	11 295	800 000	»	70,8
Ghana (p. 126 bis)	238 537	13 900 000	»	58,3
Guinée (p. 123)	245 857	6 400 000	»	26
Guinée-Bissau (p. 131)	36 125	900 000	est. 1986	24,9
Guinée équatoriale (p. 131)	28 051	400 000	»	14
Kenya (p. 127)	582 646	22 400 000	est. 1987	38,4
Lesotho (p. 130)	30 355	1 600 000	»	52,7
Libéria (p. 123)	111 369	2 400 000	»	21,5
Libye (p. 119)	1 759 540	3 800 000	»	2,2
Madagascar (p. 130)	587 041	10 600 000	»	18,1
Malawi (p. 127)	118 484	7 400 000	»	62,5
Mali (p. 122)	1 240 000	8 400 000	»	6,8
Maroc (p. 119)	446 550	24 400 000	»	54,6
Maurice (île) (p. 130)	2 045	1 100 000	»	537,9
Mauritanie (p. 122)	1 030 700	2 000 000	»	1,9
Mozambique (p. 131)	783 030	14 700 000	»	18,8
Namibie (Sud-Ouest Afr.) (p. 131)	824 292	1 300 000	»	1,6
Niger (p. 122)	1 267 000	7 000 000	»	5,5
Nigeria (p. 126 bis)	923 768	108 600 000	»	117,6
Ouganda (p. 127)	236 036	15 900 000	»	67,4
Réunion (p. 131)	2 510	560 000	»	223,1
Rwanda (p. 126)	26 338	6 800 000	»	258,2
Sainte-Hélène (p. 131)	122	5 300	est. 1986	43,4
Saõ-Tomé et Principe (p. 131)	964	102 000	»	105,8
Sénégal (p. 123)	196 722	7 100 000	est. 1987	36,1
Seychelles (îles) (p. 131)	444	65 000	est. 1986	146,3
Sierra Leone (p. 123)	71 740	3 900 000	est. 1987	54,4
Somalie (p. 122 bis)	637 657	7 700 000	»	12,1
Soudan (p. 122 bis)	2 505 813	23 500 000	»	9,4
Sud-Africaine (Rép.) (p. 130)	1 221 037	34 300 000	»	28,1
Swaziland (Ngwane) (p. 131)	17 363	700 000	»	40,3
Tanzanie (p. 127)	945 087	23 500 000	»	24,9
Tchad (p. 122)	1 284 000	4 600 000	»	3,6
Togo (p. 126 bis)	56 000	3 200 000	»	57,1
Tunisie (p. 119)	163 610	7 600 000	»	46,5
Zaïre (p. 126)	2 345 409	31 800 000	»	13,6
Zambie (p. 127)	752 614	7 100 000	»	9,4
Zimbabwé (p. 127)	389 361	9 400 000	»	24,1

ALGÉRIE

El Djemhouria El Djazaïria Demokratia Echaabia; 2 381 741 km² ; 23 500 000 hab. (est. 87). L'Algérie du Nord (sans le Sahara) 295 000 km² ; république. Capitale : El-Djezaïr (Alger) 3 100 000 hab. (est. 86). Monnaie : dinar.

Divisions administratives : 31 départements. **Villes** (milliers d'hab. 83) : Ouahran (Oran) 663 — Qacentina (Constantine) 448 — Annaba (Bône) 348 — Sidi-Bel-Abès 187. **ÉCONOMIE** : pays autrefois agricole dont l'industrialisation, stimulée par le pétrole et le gaz saharien, est en progression rapide. **Prod. agricoles** (milliers de t, 86) : blé 1 445 — orge 1 100 — agrumes 335 — dattes — raisins — figues — vin 1 800 000 hl — huile d'olive 15 000 t — tabac — chêne-liège. **Élevage** : ovins. **Ressources minérales** (86) : pétrole 46 millions de t *(Hassi Messaoud, Edjele)* — gaz 36,1 milliards de m³ *(Hassi R'Mel)* — fer (métal contenu) 1 815 000 t *(Dj. Quenza)* — phosphate : 1 200 000 t — zinc 14 000 t — plomb 3 500 t — charbon. **Industries** : conserveries — huileries — minoteries — cimenteries — meubles — raffineries de pétrole *(Alger, Bougie, Skikda)*. **Communications** : voies ferrées 4 800 km — routes 78 500 km. **Exportations** : pétrole — fer — phosphate — vin — fruits — huile d'olive — dattes. **Importations** : biens d'équipement — prod. manufacturés.

MAROC

Al Mamlaka Al Maghrebia; 446 550 km² (690 000 km² avec le Sahara occid.); 24 400 000 hab. (est. 87) y compris Ifni ; royaume. Capitale : Rabat 950 000 hab. avec aggl. (est. 86). Monnaie : dirham.

Divisions administratives : 37 provinces et 2 districts urbains. **Villes** (milliers d'hab., est. 86, aggl.) : Casablanca 2 600 — Marrakech 1 550 — Fès 850 — Oujda 800 — Tanger 400. **ÉCONOMIE** : l'agriculture, où coexistent un système archaïque et des techniques modernes, assure l'essentiel des ressources ; la production minière alimente les exportations ; l'industrialisation s'accélère. **Prod. agricoles** (milliers de t, 86) : blé 3 809 — orge 3 563 — agrumes 1 200 — vin 370 000 hl — riz — primeurs et fruits. **Mines** (milliers de t, 86) : phosphates 21 178 (3e rang) *(Khouribga, Youssoufia)* — fer (minerai) 115 — manganèse 24 (85) — plomb 71,8 — zinc 12,2 — cobalt — houille — pétrole. **Industries** : de transformation, concentrées à Casablanca. **Communications** : voies ferrées 1 860 km — routes 57 600 km. **Exportations** : phosphates — agrumes. **Importations** : denrées alimentaires — biens de consommation — produits finis.

TUNISIE

Al Djoumhouria Attunusia; 163 610 km² ; 7 600 000 hab. (est. 87) ; république. Capitale : Tunis 1 200 000 hab. (est. 86). Monnaie : dinar.

Divisions administratives : 23 « gouvernorats ». **Villes** (milliers d'hab., rec. 84) : Sfax 232 — Bizerte 94,5 — Sousse 83 — Kairouan 72. **ÉCONOMIE** : l'agriculture (32 % de la pop. active), encore trop souvent rudimentaire, n'est plus l'activité essentielle ; mines et industries, surtout, sont en expansion. **Prod. agricoles** (milliers de t, 86) : blé 474 — huile d'olive 165 — dattes 60 — primeurs — vin 650 000 hl.

Ressources minérales (millions de t, 86) : pétrole 5,7 — fer (métal contenu) 0,4 (85) — phosphates 5,8 — plomb — zinc — gaz naturel 4,3 milliards de m³.

Communications : voies ferrées 2 130 km — routes 26 200 km — 4 ports (Tunis, Bizerte, Sousse, Sfax) et un port pétrolier (La Skirra).

RÉPUBLIQUE ARABE LIBYENNE (Libye)

El Djoum-houriga El-Arabiya El Libiyya; 1 759 540 km² ; 3 800 000 hab. (est. 87). Capitale : Aljofor depuis 1986. Monnaie : dinar.

Villes (milliers d'hab., est. 85, aggl.) : Tarabulus (Tripoli) 1 000 000 d'hab. (86) — Benghasi 650 — Misourata 300 — Zawia 250. **ÉCONOMIE** : bande côtière et oasis cultivées (1 % de la surf., 40 % de la prod.) : olives — citrons — raisin — dattes — élevage. **Ressources minérales** (86) : pétrole 51,1 millions de t *(Zelten)* — gaz naturel 4,3 milliards de m³.

RÉPUBLIQUE ARABE D'ÉGYPTE

Al Djoumhouria Misr al-Arabia al-Mouttahida ; 1 001 449 km² ; 51 900 000 hab. (est. 87). Territoire habité et cultivé 35 580 km² (1 394 hab./km²). Capitale : Le Caire 12 000 000 d'hab. (86). Monnaie : livre égyptienne.

Villes (milliers d'hab., est. 81) : Alexandrie 2 576 — Gizeh 1 422 — Suez 424 — Tantah 318.

ÉCONOMIE : pays agricole en voie d'industrialisation. **Prod. agricoles** (millions de t, 86) : blé 1,9 — maïs 3,8 — riz 2,4 — sucre de canne 0,5 — coton 0,4. **Élevage** (86) : bovins 2,8 millions de têtes. **Ressources minérales :** pétrole (86) 41,1 millions de t — phosphates — aluminium — sel. **Industries** (86) : ciment 5,3 millions de t — filés de coton 251 000 t — sucreries — huileries.

CANAL DE SUEZ : nationalisé en 1956, long de 160 km, trafic en 1986, 262,4 millions de tonneaux dont 40 % de produits pétroliers. L'aménagement achevé en 1980 a permis d'augmenter les revenus (1,03 milliard de dollars en 85).

SOUDAN (Rép. démocratique du)

Djamhouryat es-Sudan ; 2 505 813 km² ; 23 500 000 hab. (est. 87). Capitale : Khartoum (rec. 83) 476 200 hab. Monnaie : livre soudanaise.

Villes (milliers d'hab., rec. 83) : Omdourman + Khartoum Nord 3 400 — Port Soudan 206 — Ouad Medani 141 — El Obeid 140.

ÉCONOMIE essentiellement agricole : cultures vivrières (blé, orge, mil) — coton — arachide 334 000 t — dattes — gomme arabique (90 % du monde). Élevage très développé (53 000 000 de têtes). Gisements minéraux encore peu exploités : pétrole — chrome — or — graphite — manganèse — cuivre — zinc — fer — marbre — amiante.

ÉTHIOPIE

Yaityopia Nigousa Nagast Manguist ; 1 221 900 km² ; 46 000 000 d'hab. (est. 87). Capitale : Addis Abeba (84) 1 412 000 hab. Monnaie : birr.

Villes (milliers d'hab., rec. 84) : Asmara 275 — Diredaoua 98 — Dessié 68.

ÉCONOMIE : essentiellement agricole avec élevage important. **Prod. agricoles** (milliers de t, 85) : blé 700 — sésame — maïs 1 400 — sorgho et millet 1 000 — arachide — légumes — café 260 — coton. **Élevage** (millions de têtes, 85) : bovins 26 — moutons 23,5 — ânes — mulets — apiculture. **Mines :** sel (Erythrée) — fer — potasse — or. Hydroélectricite en développement. **Communications :** seul accès à la mer : Djibouti.

SOMALIE

Al-Djoumhouria As-Somaliya ; 637 657 km² ; 7 700 000 hab. (est. 87) ; république. Capitale : Mogadisho 500 000 hab. (est. 86). Monnaie : shilling.

Villes (milliers d'hab., est. 84, aggl.) : Hargeisa 400 — Baidoa 300 — Kisimayou 200.
La Somalie a accueilli 850 000 Éthiopiens en 1986.

ÉCONOMIE : millet — canne à sucre — banane — maïs. **Élevage** domestique et nomade (45 % d'éleveurs nomades) 40 millions de têtes en 86 : bovins — moutons — chèvres — chameaux 5,7. **Mines :** gisements de fer, gypse, inexploités.

MAURITANIE

République Islamique de Mauritanie ; 1 030 700 km² ; 2 000 000 d'hab. (est. 87) ; république. Capitale : *Nouakchott (est. 86) 350 000 hab.* Monnaie : *ouguiya.*

Villes (milliers d'hab. 81) : Nouadhibou (Port-Étienne) 25 — Kaédi 20 — Atar 16 — Rosso 16.

ÉCONOMIE : cultures vivrières : mil — maïs — patate — riz — orge — blé. Dans les oasis : dattes — gomme arabique. **Pêche** : la vente du droit de pêcher représente 30 % du P.N.B. **Élevage** : chameaux — moutons et chèvres — ânes. **Mines** (86) : fer 8 millions de t *(F'Dérick, ex-Fort-Gouraud)* — cuivre *(Akjout)* — sel.

MALI

République du Mali ; 1 240 000 km² ; 8 400 000 hab. (est. 87). Capitale : *Bamako 650 000 hab. (86).* Monnaie : *franc C.F.A.*

Villes (milliers d'hab., rec. 76) : Ségou 54 — Mopti 53 — Kayes 44.

ÉCONOMIE : agriculture dans les régions irriguées : mil (70 % des terres cultivées) 1 100 000 t (85) — riz — manioc — coton — arachide 120 000 t (85). **Élevage** (millions de têtes, 85) : bovins 5,8 — moutons 6,5 — chèvres 6. **Pêche** dans le Niger. **Mines** encore peu exploitées : or — sel *(Taoudeni)* — fer — bauxite.

BURKINA FASO (ex-Haute-Volta)

République de Burkina Faso ; 274 200 km² ; 7 300 000 hab. (est. 87). Capitale : *Ouagadougou (est. 85) 375 000 hab.* Monnaie : *franc C.F.A.*

Villes (est. 85, milliers d'hab.) : Bobo-Dioulasso 211 — Koudougou 52 — Ouahigouya 36.

ÉCONOMIE : agriculture vivrière et élevage, économie en voie de développement. **Production** (milliers de t, 85) millet 500 — sorgho 900 — arachide 77 — riz 45 — maïs 130 — patate. **Élevage** (millions de têtes, 85) : bovins 2,9 — chèvres 2,5 — moutons 2. **Mines** : or — manganèse — antimoine.

NIGER

République du Niger ; 1 267 000 km² ; 7 000 000 d'hab. (est. 87). Capitale : *Niamey (86) 400 000 hab.* Monnaie : *franc C.F.A.*

Villes (83) : Zinder 82 800 hab. — Maradi 65 000 hab.

ÉCONOMIE : agriculture possible au sud et dans les oasis (milliers de t, 85) : millet et sorgho 1 800 — manioc 215 — arachide 40 — coton. **Élevage** (millions de têtes, 85) bovins 3,5 — moutons 3,5 — chèvres 7,5. **Mines** : étain — sel — uranium 3 200 t (86) (7e prod.).

TCHAD

République du Tchad ; 1 284 000 km² ; 4 600 000 hab. (est. 87). Capitale : *N'Djamena (ex-Fort-Lamy) 225 000 hab. (est. 86).* Monnaie : *franc C.F.A.*

Villes (milliers d'hab., 86) : Sahr (ex-Fort-Archambault) 100 — Moundou 90.

ÉCONOMIE : souffre de la guerre avec la Libye ; l'agriculture assure les besoins locaux (sorgho, mil, riz, maïs, manioc, blé) et fournit des produits pour l'exportation : fibre de coton — arachide 80 000 t (85). **Élevage** (millions de têtes, 86) bovins 3,4 — moutons et chèvres 4,2. Exportation de viande vers les États voisins. Peu de ressources minières (sel, étain).

SÉNÉGAL

République du Sénégal ; 196 722 km² ; 7 100 000 hab. (est. 87). Capitale : Dakar (est. 86) 1 150 000 hab. 1.2.1982 : Naissance de la Confédération sénégambienne. Monnaie : franc C.F.A.

Villes (milliers d'hab., 84) : Thiès 126 — Kaolack 127 — Saint-Louis 96.

ÉCONOMIE : 5e prod. mond. d'arachide (2/3 des export.). Le Sénégal est une plaque tournante de communications. **Production** (milliers de t, 86) : millet et sorgho 703 — manioc 12 (85) — arachide 720 — cultures maraîchères — riz. **Élevage** (85) : bovins 2,2 — ovins 2,1 millions de têtes. **Pêche :** 250 000 t (86). **Mines** (85) : phosphates *(Taiba)* 1,9 million de t — sel *(Kaolack)*.

GAMBIE

Republic of The Gambia ; 11 295 km² ; 800 000 hab. (est. 87) ; État membre du Commonwealth, depuis février 65 ; République depuis 1970. Capitale : Banjul (ex-Bathurst) 50 000 hab. (86). 1.2.1982 : Naissance de la Confédération sénégambienne. Monnaie : dalasi.

ÉCONOMIE : repose sur l'arachide (120 000 t en 86). Cultures vivrières : riz — mil et sorgho.

GUINÉE

République de Guinée ; 245 857 km² ; 6 400 000 hab. (est. 87). Capitale : Conakry (aggl., est. 86) 760 000 hab. Monnaie : sily.

Villes (milliers d'hab., est. 84) : Kankan 90 — Labé 65 — Kindia 60.

ÉCONOMIE : produits agricoles pour l'exportation et ressources minières. **Production** (milliers de t, 86) : riz 480 — manioc 500 — bananes 105 — café 15 (85) — arachide 75 — agrumes — fer bientôt exploité — bauxite 14 656 t *(île de Los, Boké, Fria)* — diamants.

SIERRA LEONE

Sierra Leone ; 71 740 km² ; 3 900 000 hab. (est. 87) ; république, membre du Commonwealth. Capitale : Freetown (est. 86) 480 000 hab. Monnaie : leone.

ÉCONOMIE : (milliers de t, 86) : riz 500 — manioc — café 10 — cacao 9 — palmiste 44 — fer en baisse — bauxite 1 000 — chrome — diamants 243 500 carats (85) (6e prod. mond.) — platine — extraction du rutile en développement.

LIBÉRIA

Republic of Liberia ; 111 369 km² ; 2 400 000 hab. (est. 87). Capitale : Monrovia (est. 86) 800 000 hab. Monnaie : dollar libérien.

ÉCONOMIE : dominée par des sociétés américaines *(Firestone)*. Navires sous pavillon libérien 52,6 millions de tonneaux de jb (86) (1re flotte mondiale). Riz — café — cacao — caoutchouc 90 000 t (86) — diamants — fer de très bonne qualité 10,6 millions de t (86).

CÔTE-D'IVOIRE

République de Côte-d'Ivoire ; 322 462 km² ; 10 800 000 hab. (est. 87). Capitale : Yamoussoukro 70 000 hab. (86). Ville principale : Abidjan (aggl.) 1 900 000 hab. (est. 86). Monnaie : franc C.F.A.

ÉCONOMIE : exportation, par Abidjan, des produits de plantations, mise en place de complexes textiles. **Production** (milliers de t, 86) : bananes 170 — cacao 520 — café 280 — bois rond 11,8 millions de m³ (83) — pêche — or — diamants — pétrole 1 350.

GHANA

Republic of Ghana ; 238 537 km² ; 13 900 000 hab. (est. 87) ; république, membre du Commonwealth. Capitale : Accra 1 200 000 hab. (aggl. est. 86). Monnaie : nouveau cedi.

ÉCONOMIE : riches cultures et ressources minières abondantes. **Production** (milliers de t, 86) : cacao 240 (3ᵉ prod. mond.) — bananes — maïs 471 — riz — café 1 — tabac — poivre — manioc (85) 2 373 — bois — bauxite 204 *(Nsuta)* — manganèse 147 — or 10 600 kg *(Tarkwa)* — gaz naturel — pétrole.

TOGO

République Togolaise ; 56 000 km² ; 3 200 000 hab. (est. 87). Capitale : Lomé (est. 86) 375 000 hab. Monnaie : franc C.F.A.

ÉCONOMIE : agriculture de subsistance (millet, maïs, haricots secs) ; à l'exp. : café, cacao, coton. **Production** (milliers de t, 86) : café 49 — cacao 15 — palmiste — phosphates 2 400 (85).

BÉNIN

République populaire du Bénin ; 12 622 km² ; 4 300 000 hab. (est. 87). Capitale : Porto Novo (est. 86) 160 000 hab. Monnaie : franc C.F.A.

Villes (milliers d'hab., 82) : Cotonou 487 — Parakou 66 — Abomey 54 — Kandi 53.
ÉCONOMIE : cult. commerciale (milliers de t, en 86) : huile de palme 38 — arachide 70 — coton 44 (fibres). Prod. vivrières : manioc 79,5 (85) — maïs 450 (85) — igname.

NIGERIA

Federation of Nigeria ; 923 768 km² ; 108 000 000 d'hab. (est. 87) ; république membre du Commonwealth. Capitale : Lagos 5 000 000 d'hab. (aggl. est. 86). Abuja. future capitale. Monnaie : naïra.

Villes (milliers d'hab., est. 83) : Ibadan 1 060 — Ogbomosho 527 — Kano 500 — Ilorin 425 (79).
ÉCONOMIE : plantations tropicales d'export. en régression ; riches gisements miniers (pétrole) ; industrialisation en cours. **Production** (milliers de t, 86) : huile de palme (3ᵉ prod.) 760 — palmiste (2ᵉ prod.) 381 — arachide (7ᵉ prod.) 616 — cacao (4ᵉ prod.) 125 — coton — caoutchouc 60 — bananes — agrumes — bois 95,5 millions de m³ — charbon *(Enugu)* 78,6 — étain *(Bukuru)* 1 422 (84) — pétrole 72,8 millions de t — gaz naturel encore peu exploité.

RÉPUBLIQUE CENTRAFRICAINE

Ex-Empire Centrafricain : 622 984 km² ; 2 700 000 hab. (est. 87). Capitale : Bangui (est. 86) aggl. 800 000 hab. Monnaie : franc C.F.A.

ÉCONOMIE : essentiellement agricole. **Production** (milliers de t, 86) : fibres de coton 13 — graines de coton 26 — arachide 142 — café 18 — maïs — mil — bois — diamants 357 400 carats (86) — uranium non exploité.

CAMEROUN

République unie du Cameroun ; 475 442 km² ; 10 360 000 hab. (est. 87). Capitale : Yaoundé (est. 86) 580 000 hab. Monnaie : franc C.F.A.

Villes (milliers d'hab., 85) : Douala 850 — Nkongsamba 105.
ÉCONOMIE : cultures tropicales et industrie développée. **Production** (milliers de t, 86) : cacao 120 — café 122 — arachide 140 — huile de palme 51 — palmiste 52 — bananes 67 — aluminium 81,1 — électricité 2,2 milliards de kWh — pétrole 8 millions de t.

GABON

République Gabonaise ; 267 667 km² ; 1 200 000 hab. (est. 87). Capitale : Libreville (est. 86) 200 000 hab. Monnaie : franc C.F.A.

Villes (86) : Port-Gentil 194 000 hab. — Lambaréné 49 000 hab.
ÉCONOMIE : exploitation du bois et des mines. **Productions** (86) : café — cacao — palmiste — arachide — riz — okoumé 1 400 000 m³ (85) — manganèse 2 300 000 t (85) — pétrole 8,3 millions de t — gaz 66 millions de m³ — uranium 918 t (85).

RÉPUBLIQUE POPULAIRE DU CONGO

République Populaire du Congo, 342 000 km² ; 2 100 000 hab. (est. 87). Capitale : Brazzaville (est. 86) 600 000 hab. Monnaie : franc C.F.A.

ÉCONOMIE : en voie de développement ; équipement du Kouilou et industrie de Pointe-Noire (200 000 hab.), débouché du Tchad et de la République centrafricaine. Agriculture vivrière avec quelques cult. d'export. (palmier, café, cacao) et bois — gisements miniers très importants : potasse, plomb, étain, or, pétrole 5,9 millions de t (86), gaz naturel encore peu exploité.

ZAÏRE

République du Zaïre ; 2 345 409 km² ; 31 800 000 hab. (est. 87). Capitale : Kinshasa 3 000 000 d'hab. (est. 86). Monnaie : zaïre.

Villes (milliers d'hab., 84) : Lubumbashi 543 — Kananga 290.
ÉCONOMIE : agriculture et mines prospères (Shaba). **Production** (milliers de t, 86) : manioc 15 000 — maïs 730 — riz 300 — café 90 — sucre de canne 62 (85) — arachide 400 — huile de palme 160 — palmiste 70 — caoutchouc 23 — cuivre 506 (4e prod. mond.) — cobalt 14,3 — étain 1,9 — zinc 81,3 — tungstène — diamants 23 millions de carats (1er prod. mond.) — or 2 752 kg. **Électricité :** 4,9 milliards de kWh (84). Raffinage de métaux non ferreux.

BURUNDI

République de Burundi ; 27 834 km² ; 5 000 000 d'hab. (est. 87). Capitale : Bujumbura (est. 86) 250 000 hab. Monnaie : franc du Burundi.
ÉCONOMIE : café (36 000 t en 84) — maïs — manioc — coton — élevage.

RWANDA

République Rwandaise ; 26 338 km² ; 6 800 000 hab. (est. 87). Capitale : Kigali (est. 86) 150 000 hab. Monnaie : franc du Rwanda.

ÉCONOMIE : agriculture de subsistance et prod. de café (32 000 t en 85) — thé — bananes — tabac et coton — wolfram — géryl — gaz naturel.

OUGANDA

Republic of Uganda ; 236 036 km² ; 15 900 000 hab. (est. 87) ; république, membre du Commonwealth. Capitale : *Kampala, aggl. (est. 86) 458 000 hab.* Monnaie : *shilling ougandais.*

ÉCONOMIE essentiellement agricole (milliers de t, 86) : café 220 — fibres de coton — millet 390 — arachides — thé — tabac — sisal — sucre. **Élevage** (millions de têtes, 86) : bovins 5,2 — ovins — caprins. **Pêche.** Mines : cuivre — étain — tungstène. **Exportations** : café — coton.

KENYA

Republic of Kenya ; 582 646 km² ; 22 400 000 hab. (est. 87) ; république, membre du Commonwealth. Capitale : *Nairobi (est. 85) 827 800 hab. (aggl. 1 110 000).* Monnaie : *shilling du Kenya.*

Villes (milliers d'hab. 84) : Mombassa 425 — Kisumu 167 — Nakuru 101.

ÉCONOMIE : cult. variées, cult. commerciales et élevage indigène. **Production** (milliers de t, 86) : café 115 — thé 140 — maïs — sisal. **Élevage** (millions de têtes, 85) : bovins 12 — ovins 7. **Mines** : cuivre — or — cendre de soude. Raffineries de pétrole à Mombassa. **Tourisme.**

RÉPUBLIQUE UNIE DE TANZANIE

Jusqu'en 1964, United Republic of Tanganyika and Zanzibar ; 945 087 km² ; 23 500 000 hab. (est. 87) ; république, membre du Commonwealth. Capitale : *Dar es Salaam 1 300 000 hab. (est. 86).* Monnaie : *shilling tanzanien.*

ÉCONOMIE : cult. commerciales importantes ; peu de ressources minières. **Production** (milliers de t, 85) : sisal (2ᵉ prod.) 40 — café 56 — thé — fibres de coton — tabac — noix de cajou — girofle (80 % du monde). **Élevage** (millions de têtes, 85) : bovins 14 — ovins 6,5. **Mines** : diamants — or — étain — plomb.

MALAWI

Republic of Malawi ; 118 484 km² ; 7 400 000 hab. (est. 87) ; république, membre du Commonwealth. Capitale : *Lilongwe 157 000 hab. (86).* Monnaie : *kwacha.*

Villes (milliers d'hab., 85) : Blantyre 325 — Zomba (ancienne capitale) 53.

ÉCONOMIE : agriculture paysanne et début de cultures commerciales ; ressources minérales inexploitées. **Production** (milliers de t, 86) : maïs 1 420 — tabac 75 — thé 39 — sucre — arachides 180.

ZAMBIE

Republic of Zambia ; 752 614 km² ; 7 100 000 hab. (est. 87) ; république, membre du Commonwealth. Capitale : *Lusaka (est. 80) aggl. 641 000 hab.* Monnaie : *kwacha.*

Villes (80) : Kitwe 350 000 hab. — Ndola 323 000 hab.

ÉCONOMIE : ressources minières et raffinage de métaux ; cult. vivrières (maïs, mil, arachides). Tabac. **Mines** (milliers de t, 84) : cuivre 523 (5ᵉ prod.) — zinc 38 — manganèse — plomb 16 — cobalt 2 500 — or. Important potentiel hydro-électrique.

ZIMBABWE

Republic of Zimbabwe ; 389 361 km² ; 9 400 000 hab. (est. 87). Indépendant dep. avril 80 ; république, membre du Commonwealth. Capitale : *Harare (ex-Salisbury) (est. 86) 700 000 hab.* Monnaie : *dollar de Zimbabwe.*

Villes (milliers d'hab., rec. 82) : Bulawayo 414 — Gwelo 79.

ÉCONOMIE (milliers de t., 85) : cult. vivrières — maïs 2 952 — blé 210 — cult. commerciales — café 11 — tabac 118 — coton 280 — bovins 5,5 millions de têtes (86). **Mines** (milliers de t, 86) : charbon 4 047 — fer 730 — amiante — chrome 233 — or 14 853 kg — nickel 10,9 — étain 1,1.

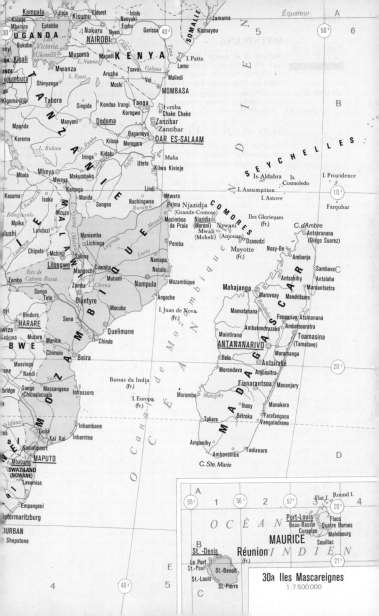

30a Iles Mascareignes
1:7 500 000

BOTSWANA

Republic of Botswana ; État indépendant (1.10.66) ; 600 372 km² ; 1 200 000 hab. (est. 87) ; république membre du Commonwealth. Capitale : *Gaborone (est. 86) 70 000 hab.* Monnaie : *pula.*
Villes (milliers d'hab. 86) : Francistown 35,9 — Selebi-Pikwe 32,4.

ÉCONOMIE : essentiellement pastorale et richesses minières. **Élevage** (millions de têtes, 86) : bovins 2,7 — ovins et caprins 1. **Mines** : manganèse — argent — amiante — nickel 19 000 t (86) — diamants 12,3 millions de carats (86) (3ᵉ prod. mond.).

RÉPUBLIQUE SUD-AFRICAINE

Republiek van Suid-Afrika ; 1 221 037 km² ; 34 300 000 hab. (est. 87). Capitale administrative : *Pretoria 547 000 hab. (est. 86).* Capitale législative : *Le Cap 1 125 000 hab.* Monnaie : *rand.* Langues officielles : *anglais et afrikaans (parlé par les Boers).*

Divisions administratives : 4 provinces : Le Cap — Natal — État libre d'Orange — Transvaal.
Villes (milliers d'hab. 80) : Johannesburg 1 536 — Durban 506 — Port-Elizabeth 492 — Bloemfontein 230 — Benoni 206 — Pietermaritzburg 179 — East London 160 — Germiston 155 — Springs 149. **Population** : Blancs 18 % dont 2/3 Boers — Indiens 3 % — Africains 68 % (Bantous, Bochimans et Hottentots) — Métis 10 %.

ÉCONOMIE : agriculture et élevage prospères, sous-sol très riche, industrialisation la plus développée de toute l'Afrique. **Agriculture** (milliers de t, 86) : blé 2 260 — maïs 8 078 — canne à sucre 2 050 — cultures fruitières — oranges 535 — vin (Le Cap) 9 500 000 hl — tabac. **Élevage** (millions de têtes, 86) : bovins 11,7 — ovins 29,4 — caprins 5,3 — laine 99 000 t. **Pêche** (86) : 655 200 t. **Mines** (milliers de t, 85) : charbon 177 900 — fer (minerai) 15 300 — cuivre 203 — manganèse 1 310 — magnésite — amiante — or (1ᵉʳ prod.) 638 047 kg (Witwaterstrand) — platine (1ᵉʳ rg) — diamants 10,2 millions de carats (85) (Kimberley, Pretoria) — chrome (1ᵉʳ prod.) — nickel 29 t — antimoine (2ᵉ prod.) — uranium (oxyde d') — étain 2,2 t. **Électricité** (86) : 145,4 milliards de kWh. **Industries** (millions de t, 86) : acier 9,1 — raffinage métaux non ferreux — textiles — ciment 6,2.

LESOTHO

Royaume indépendant depuis 1966 ; 30 355 km² ; 1 600 000 hab. (est. 87) ; membre du Commonwealth. Capitale : *Maseru 130 000 hab.* Monnaie : *maloti.*

ÉCONOMIE : agriculture vivrière : blé, maïs, sorgho, laine, élevage (2 millions de têtes) : caprins, ovins — diamants 42 000 carats en 82 (prod. arrêtée).

RÉPUBLIQUE DÉMOCRATIQUE DE MADAGASCAR

Repoblika demokratika n'i Madagascar ; 587 041 km² ; 10 600 000 hab. (est. 87). Capitale : *Antananarivo (aggl., est. 86) 800 000 hab.* Monnaie : *franc malgache.*

Divisions administratives : 6 provinces. **Villes** (milliers d'hab. est. 80) : Toamasina 95 — Majunga 81 — Fianarantsoa 83 — Tamatave 70.
ÉCONOMIE : pays agricole où commence l'industrialisation. **Agriculture** (milliers de t, 86) : riz 2 230 — café 82 — manioc 2 142 — vanille — tabac 5 — épices — plantes à parfum — bananes — canne à sucre — sisal — coton. **Élevage** sur les plateaux (millions de têtes, 86) : bovins 10,4 — porcs — chèvres — moutons. **Mines** (milliers de t. 85) : graphite 13,5 — mica 1 — pierres précieuses — uranium — chrome 17 — charbon (Sakoa).

MAURICE (île)

Mauritius ; 2 045 km² avec les dépendances ; 2 000 000 hab. (est. 87) ; État indépendant (13.3.68) ; membre du Commonwealth. Capitale : *Port-Louis 150 000 hab.* Monnaie : *roupie mauricienne.*

ÉCONOMIE : monoculture de la canne à sucre sur près de 70 % des terres cultivées — thé 8 114 t (85) — tabac — sucre 646 000 t (85).

GUINÉE ÉQUATORIALE

État indépendant depuis 1968. 28 051 km²; 400 000 hab. (est. 86); Rio Muni et îles du golfe de Guinée (Bioco [ex-Fernando Po], Annobon, etc.). Capitale: Malabo 30 000 hab. (86). Monnaie: franc C.F.A.

Ressources: agro-forestières. Prod. d'export. (85): café 7 000 t — cacao 7 000 t.

NAMIBIE

Suidwes Afrika; 824 292 km²; 1 300 000 d'hab. (est. 87); l'administration du territoire a été confiée par les Nations Unies à la République Sud-Africaine. L'O.N.U. ne reconnaît pas l'annexion « de fait » par la Rép. Sud-Afr. Capitale: Windhoek (est. 85) 120 000 hab. Forte minorité européenne (700 000). Monnaie: rand sud-africain.

ÉCONOMIE: Élevage (millions de têtes, 86): bovins 2 — ovins 6 — viande — produits laitiers et peaux. **Pêche**: (84) 337 000 t — conserveries de poissons. **Mines** (milliers de t, 86): cuivre 47 (84) — plomb 37,1 — argent 3,2 — zinc 32 (84) — étain — tungstène — uranium 3,5 — diamants 750 000 carats (85).

SWAZILAND (NGWANE)

État indépendant depuis 1968, 17 363 km²; 700 000 hab. (est. 87); État membre du Commonwealth; monarchie. Capitale: Mbabane (est. 86) 30 000 hab. Monnaie: lilangeni.

Ressources: (milliers de t, 84) canne à sucre 3 500 — maïs 110 — amiante 36 — fer.

ÉTATS DEVENUS INDÉPENDANTS

GUINÉE-BISSAU: État indépendant depuis 1974. 36 125 km²; 900 000 hab. (est. 86); république. **Capitale**: Bissau 110 000 hab. (79). **Économie**: arachide — maïs — huile de palme — noix de cajou — pêche pour l'export.

ANGOLA: État indépendant depuis 1975. 1 246 700 km²; 8 000 000 d'hab. (est. 87); république populaire. **Capitale**: Luanda 1 200 000 hab. (86). **Économie**: maïs — manioc — café — tabac — sisal — pétrole — diamants env. 750 000 carats (85).

CAP-VERT (îles du): État indépendant depuis 1975. 4 033 km²; 335 000 hab. (est. 86); république. **Capitale**: Praia 40 000 hab. (80). **Économie**: maïs — canne à sucre — café — bananes — sel — pêche (thon).

COMORES: État indépendant depuis 1975 (Mayotte est restée française); 2 171 km²; 480 000 hab. (est. 86); république fédérale islamique. **Capitale**: Moroni· 25 000 hab. **Ressources**: cult. vivrières; cult. d'exportation.

MOZAMBIQUE: État indépendant depuis 1975. 788 030 km²; 14 700 000 hab. (est. 87); république. **Capitale**: Maputo 882 000 hab. (86). **Économie**: riz — arachides — sucre — manioc — thé. **Monnaie**: *metical.*

SAO TOMÉ ET PRINCIPE: État indépendant depuis 1975. 964 km²; 102 000 hab. (est. 86); république. **Capitale**: São Tomé 30 000 hab. (86).

SEYCHELLES (115 îles dont 46 habitées): État indépendant depuis juin 1976; membre du Commonwealth; 444 km²; 65 000 hab. (est. 86); république. **Capitale**: Port-Victoria 23 000 hab. (86).

DJIBOUTI (République de) (ancienne Côte française des Somalis ex-Afar et Issa): 22 000 km²; 460 000 hab. (est. 87). État indépendant depuis 1977. **Capitale**: Djibouti 300 000 hab. **Ressources**: chèvres et moutons 965 000. Trafic portuaire important. Développement de la géothermie.

TERRITOIRES NON SOUVERAINS

Département français
RÉUNION: 2 510 km²; 560 000 hab. (est. 87). **Chef-lieu de départ.**: Saint-Denis 110 000 hab. **Ressources**: sucre de canne — banane — vanille — essences pour parfum — rhum.

Collectivité territoriale de la République française
Mayotte: mi-T.O.M./mi-D.O.M. en attendant statut définitif. 376 km². 68 000 hab. (85).

Territoire britannique
SAINTE-HÉLÈNE (St. Helena): colonie groupant Sainte-Hélène (122 km², 5 300 hab. est. 86) et diverses îles: Ascension, Tristan da Cunha, les îles inhabitées Diego Alvarez (Gough), Inaccessible et Nightingale. **Capitale**: Jamestown.

31a États - Unis
Côte Pacifique
1:15 000 000

AMÉRIQUE DU NORD ET DU CENTRE - géographie physique

Le continent américain, dont le nom « Amérique » vient du navigateur Americo Vespucci, étiré sur 15 000 km, couvre 42 millions de km² et compte 700 millions d'habitants env. Si l'isthme de Panama est souvent considéré comme une démarcation entre Amérique du Nord et du Sud, il est plus exact de dire que les deux masses continentales sont reliées, autant que séparées par l'isthme de l'Amérique Centrale et la guirlande des Antilles qui encerclent une mer bordière : le golfe du Mexique.

L'Amérique du Nord (ou anglo-saxonne) : 21 515 000 km² et 264 millions d'habitants et l'Amérique Centrale (ou moyenne) 2 496 000 km² et 148 millions d'habitants totalisent près de 24 millions de km² et 412 millions d'habitants, soit une densité moyenne de 16,8 hab./km². Le point le plus septentrional se situe à l'extrémité nord de l'île Ellesmere (83° Nord) ; le plus méridional, le cap Mariato, est situé à Panama dans la péninsule d'Azuero (7°12' Nord) ; le plus à l'ouest est en Alaska, le cap du Prince de Galles (168° 05' Ouest) et le plus à l'est se situe à Terre-Neuve (52°30' Ouest).

Côtes : A l'est, l'océan Atlantique sépare l'Amérique du Nord de l'Europe et, à l'ouest, l'océan Pacifique la sépare de l'Asie. Large de 90 km et profond de 60 m, le détroit de Béring forme entre l'Asie et l'Amérique un « pont » par où passèrent très vraisemblablement les premiers hommes qui peuplèrent l'Amérique. Massive, l'Amérique septentrionale est peu découpée sauf au Nord où les archipels sont nombreux. Seul le golfe du Mexique s'insère profondément dans le continent. Les contours côtiers sont estimés à 76 000 km.

Structure et relief : la structure du continent tout entier est caractérisée par une haute muraille presque continue le long de la côte Pacifique, et l'existence d'une immense plaine de l'océan Arctique à l'océan Antarctique. En Amérique septentrionale, le système des *montagnes Rocheuses* occupe près du tiers du continent : hautes chaînes, la plupart dues à des plissements récents, hauts plateaux et bassins forment un système complexe. Au centre, les *« Prairies »* (grandes plaines) où les fleuves s'étendent en d'immenses réseaux, se terminent par la vaste *plaine du Golfe*. A l'est, les vieux massifs, *bouclier canadien* et *zone appalachienne*, sont les restes des chaînes cristallines les plus anciennement émergées de l'écorce terrestre, érodées, aplanies et partiellement soulevées par des plissements ultérieurs. La marque des glaciations quaternaires est attestée par la complexité des réseaux hydrographiques, le dédale des îles et chenaux. L'Amérique Centrale est un isthme montagneux où ne subsistent que de rares plaines littorales, la grande plaine centrale ayant disparu sous les eaux du golfe du Mexique. Ces chaînes au relief confus se prolongent par la guirlande de l'arc antillais. Toute l'Amérique Centrale est une zone de séismes et le siège d'une grande activité volcanique.

L'altitude moyenne du continent nord-américain est de 730 m. Le sommet le plus élevé est le mont Mac Kinley, en Alaska (6 187 m), le point le plus bas : la vallée de la Mort, Death Valley (moins 84 mètres), en Californie.

Fleuves : développés sur de grandes longueurs, les fleuves ne sont pas tous utilisables en raison de la rudité du climat et du relief. Au nord, le *Yukon*, le *Mackenzie* sont gelés plusieurs mois par an. A l'Ouest, *Colorado, Snake, Columbia* sont des torrents favorables aux installations hydro-électriques. A l'est, les fleuves appalachiens s'achèvent en larges estuaires. L'ensemble *Missouri-Mississippi* et leurs affluents forment un excellent réseau de communication. Les Grands lacs et le Saint-Laurent, bien aménagés, constituent la voie navigable la plus fréquentée du monde.

Climats : allongée du cercle Polaire au Tropique, l'Amérique septentrionale connaît sur ses franges : au nord, le *climat polaire* ; à l'ouest, le *climat océanique* ; au sud, le *climat tropical*. L'intérieur du continent est le domaine du *climat continental* (hivers rudes, étés chauds, brusques changements de température). La température la plus élevée a été enregistrée dans la vallée de la Mort (57°), la plus basse à Fort Good Hope dans le Nord canadien (– 78°).

Températures moyennes annuelles, en degrés centigrades [et précipitations moy. annuelles en mm] : Dawson (Canada) moins 5°2 [315], Montréal 5°8 [1 033], New York 11°1 [1 092], San Francisco 12°8 [559], Denver 10°3 [358], Los Angeles 16°7 [387], Charleston (Caroline Sud) 18°6 [1 148], Nouvelle-Orléans 20°3 [1 460], Miami 24° [1 415], Merida (Mexique) 25°7 [878], Balboa (Panama) 25°8 [1 742], Pointe-à-Pitre (Guadeloupe) 25°9 [2 323].

Flore et faune. Du nord au sud se succèdent la toundra, la forêt de conifères, puis les feuillus et la « prairie ». Les forêts tropicales recouvrent, en partie, l'Amérique Centrale. La faune est assez voisine de celle de l'Europe.

AMÉRIQUE DU NORD ET DU CENTRE

FLEUVES LES PLUS LONGS

	Longueur en km	Bassin km²
Mississippi-Missouri .	6 420	3 340 000
Mackenzie-Athabasca	4 200	1 760 000
Yukon	3 700	900 000
Saint-Laurent	3 800	801 600
Colorado	2 900	590 000
Rio Grande	2 800	580 000
Columbia	2 250	802 000
Winnipeg-Nelson	2 574	1 080 000
Ohio [→ Mississippi]	1 580	—
Tennessee [→ Ohio] .	1 050	—

LACS LES PLUS VASTES

	Sup. km²	Profondeur en m
Supérieur	82 400	307
Huron	59 500	229
Michigan	58 100	265
Gd Lac de l'Ours	31 000	137
Gd Lac des Esclaves	28 900	140
Érié	25 700	64
Winnipeg	24 340	19
Ontario	19 500	225
Lac de Nicaragua	8 450	70
Athabasca	7 920	260

MONTAGNES LES PLUS ÉLEVÉES (altitude en mètres)

Mac Kinley [Mts d'Alaska]	6 187	Pic Pikes [Montagnes Rocheuses]	4 301
Logan [Mts-St. Elias]	6 050	Waddington [Chaîne côtière]	4 042
Whitney [Sierra Nevada]	4 418	Sierra Blanca [Mts Sacramento]	3 651
Elbert [Montagnes Rocheuses]	4 398	Pico Duarte [Rép. Dominicaine]	3 175
Blanco Pic [Montagnes Rocheuses]	4 364	Pic de la Selle [Haïti]	2 680
Shasta [Chaîne des Cascades]	4 316	Mitchell [Appalaches]	2 045

GRANDES ILES (Superficie en km²)

Groenland [au Danemark]	2 175 000	Haïti [Mer des Antilles]	77 200
Baffin [Canada]	512 200	Banks [Canada]	66 700
Victoria [Canada]	208 100	Devon [Canada]	56 000
Ellesmere [Canada]	200 450	Melville [Canada]	42 700
Cuba [Mer des Antilles]	111 000	Southampton [Canada]	41 300
Terre-Neuve [Canada]	110 700	Prince de Galles [Canada]	35 600

PRINCIPAUX VOLCANS EN ACTIVITÉ

	Alt. en m	Dernière éruption
Citlaltepetl [Mexique]	5 700	1687
Popocatepetl [id.]	5 452	1932
Rainier [Ch. des Cascades]	4 391	1843
Wrangel [Mont. Rocheuses]	4 270	1907
Fuego [Guatemala]	3 835	1880
Izalco [Salvador]	2 385	1770
Montagne pelée [Martinique]	1 397	1902

GRANDS GLACIERS (superficie en km²)

Groenland	1 726 000
Malaspina [Mts St. Elias-Alaska]	3 840
Muir [id.]	1 200

GRANDS DÉSERTS (superficie en km²)

Colorado [E.U. - Arizona - Colorado]	78 000
Mohave [E.U.-Californie]	35 000

CHUTES D'EAU LES PLUS HAUTES (en mètres)

Ribbon [E.U.-Californie]	492	Takakkav [Colombie brit.-Canada]	366
Yosemite [E.U.-Californie]	436	Niagara [lacs Ontario-Érié]	51
		débit : 11 890 m³/s.	

32a New York 1:900 000

AMÉRIQUE DU NORD ET DU CENTRE
— géographie politique et humaine —

L'Amérique septentrionale et l'Amérique du Centre (ou moyenne) ne sont pas très peuplées et la répartition est très inégale. Près de la moitié de la population des États-Unis vit dans un triangle constitué par 900 km de rivage depuis Boston jusqu'au sud de la Virginie et dont la troisième pointe serait à l'ouest du lac Michigan, soit moins de 15 % de la superficie du pays. La mince bande côtière dénommée *Megalopolis* constitue la région urbaine la plus animée et industrialisée du monde. Au Canada, seule une bande étroite et discontinue le long de la frontière des États-Unis est habitée, dont plus de 60 % pour les provinces laurentiennes (Ontario et Québec). La faiblesse de l'occupation résulte de causes naturelles (altitude et climat) mais elle tient aussi au caractère récent et nouveau du peuplement. Elle favorise la mobilité de la population et entretient « l'esprit pionnier ».

Pays *(et page de la notice géographique)*	Superficie en km²	Population	Année	Densité hab/km²
Anguilla *(p. 155)*	91	7 000	est. 86	76,9
Antigua et Barbuda *(p. 155)*	442	80 000	»	181
Antilles néerlandaises *(p. 154 bis)* ...	961	300 000	»	312,2
Bahamas (îles) *(p. 142)*	13 935	250 000	»	17,9
Barbade *(p. 154)*	430	270 000	»	627,9
Belize *(p. 155)*	22 965	200 000	est. 87	8,7
Bermudes (îles) *(p. 142)*	53	70 000	est. 86	1 320,8
Canada *(p. 139)*	9 976 139	25 900 000	est. 87	2,6
Caïmans *(p. 155)*	259	18 000	est. 86	69,5
Costa Rica *(p. 151)*	50 700	2 800 000	est. 87	55,2
Cuba *(p. 151)*	114 524	10 300 000	»	89,9
Dominica *(p. 155)*	751	90 000	est. 86	119,8
Dominicaine (République) *(p. 154)* ..	48 734	6 560 000	»	134,6
États-Unis d'Amérique *(p. 143)*	9 363 123	243 800 000	est. 87	26
Grenade *(p. 155)*	344	112 000	est. 86	326
Groenland *(p. 142)*	2 175 600	42 000	»	0,02
Guadeloupe *(p. 153)*	1 780	333 000	»	187,4
Guatemala *(p. 150)*	108 889	8 400 000	est. 87	77,1
Haïti *(p. 154)*	27 750	6 200 000	»	223,4
Honduras *(p. 151)*	112 088	4 700 000	»	41,9
Jamaïque *(p. 154)*	10 991	2 500 000	»	227,5
Martinique *(p. 153)*	1 102	329 000	»	298,4
Mexique *(p. 150)*	1 972 547	81 900 000	»	41,5
Montserrat *(p. 155)*	103	12 100	est. 86	117,5
Nicaragua *(p. 151)*	130 000	3 500 000	est. 87	26,9
Panama *(p. 151)*	75 650	2 300 000	»	30,4
Panama (zone du Canal) *(p. 154 bis)*	1 432	29 000	est. 85	20,2
Porto Rico *(p. 154 bis)*	8 897	3 300 000	est. 87	370,9
Saint-Christophe (St. Kitts), Nevis *(p. 155)*	276	45 000	est. 86	163
Sainte-Lucie *(p. 155)*	616	132 000	»	214
Saint-Pierre-et-Miquelon *(p. 142)*	242	6 270	»	25,9
Saint-Vincent *(p. 155)*	389	100 000	»	257
Salvador (El) *(p. 150)*	21 041	5 300 000	est. 87	251,9
Turks et Caiques *(p. 155)*	430	8 000	est. 86	18,6
Vierges (îles) (E.U.) *(p. 154 bis)*	344	110 000	»	320
Vierges (îles) (G.-B.) *(p. 155)*	153	12 000	»	78,4

CANADA

Canada : 9 976 139 km² ; 25 900 000 hab. (est. 87) ; État fédératif, membre du Commonwealth. Un gouverneur général représente la reine d'Angleterre. Les pouvoirs sont répartis entre le gouvernement fédéral (question d'intérêt général ou commun) et les gouvernements provinciaux (intérêt régional ou particulier). Capitale : Ottawa, aggl. (est. 86) 770 000 hab. Monnaie : dollar canadien.

DIVISIONS PROVINCIALES (superficie ; population est. juin 86). **Villes** [et aggl.] chiffres en milliers.

ALBERTA : 661 ; 2 386. **Cap.** : Edmonton [571], Calgary 640, Lethbridge 60, Red Deer 54, Medicine Hat 42. **Ressources** : pétrole — mines — agriculture.

COLOMBIE BRITANNIQUE : 948 ; 2 905. **Cap.** : Victoria [263], Vancouver [1 234], Prince George 68, Kamloops 64, Nanaimo 50, Penticton 24. **Ressources** : mines — ind. forestières — hydro-électricité — cult. spécialisées — transf. des métaux — Pêcheries.

ILE DU PRINCE ÉDOUARD : 5,6 ; 128. **Cap.** : Charlottetown 18. **Ressources** : agriculture — élevage — pêche — tourisme.

MANITOBA : 650 ; 1 037. **Cap.** : Winnipeg [612], St. James 71, St. Boniface 46, Brandon 36. **Ressources** : agriculture — ind. forestières — mines.

NOUVEAU-BRUNSWICK : 73 ; 719 (85). **Cap.** : Fredericton 44, St. John 80, Moncton 50, Bathurst 15. **Ressources** : bois — agriculture — raff. pétrole.

NOUVELLE-ÉCOSSE : 55 ; 886. **Cap.** : Halifax [261]. Darmouth 62, Sydney 29, Glace Bay 21, Truro 13. **Ressources** : charbon — acier — agriculture — pêche.

ONTARIO : 1 068 ; 9 100. **Cap.** : Toronto [2 753], Ottawa 304 [562], Hamilton [307], Kitchener 147 [287], London 276, Windsor 195, Sudbury 90. **Ressources** : nombreuses ind. manufacturières — mines — ind. forestières — électricité — agriculture et cultures spécialisées.

QUÉBEC : 1 541 ; 6 552. **Cap.** : Québec [539], Montréal [2 758], Laval 282, Sherbrooke 72, Verdun 57, Hull 54, Trois Rivières 50, Chicoutimi 32, Shawinigan 32, Granby 31. **Ressources** : ind. forestières — mines — hydro-électricité — ind. manufacturières — agriculture — tourisme.

SASKATCHEWAN : 652 ; 1 020. **Cap.** : Regina 162, Saskatoon 154, Moose Jaw 34, Prince Rupert 24. **Ressources** : agriculture — pétrole.

TERRE-NEUVE ET LABRADOR : 402 ; 580 (85). **Cap.** : St. John's [154], Corner Brook 25. **Ressources** : bois — pêche — minerai de fer.

TERRITOIRES DU NORD-OUEST : 3 379 ; 43. **Cap.** : Yellowknife 11. **Ressources** : mines.

TERRITOIRE DU YUKON : 536 ; 22. **Cap.** : Whitehorse 18. **Ressources** : mines.

Population (selon le groupe ethnique, 81) : Britanniques 40,2 %, Français 26,7 %, Allemands 4,1 %, Italiens 3,1 %, autres 25,9 % (dont Indiens et Esquimaux 1,7 %). **Langues parlées** : anglais 60,1 %, français 26,9 %.

ÉCONOMIE : pays très développé au point de vue agricole et industriel. 7e puissance minière du monde. Le Canada est le pays qui produit le plus de zinc, de nickel et de papier journal du monde occidental. Il occupe la première place mondiale pour l'uranium, la deuxième pour le gaz et l'orge, la troisième pour l'or, l'argent, l'avoine, la quatrième pour le plomb et le cuivre. C'est un des grands producteurs de titane, de fer et de molybdène. **Population active** (86) : agriculture 5,5 % — industrie 25,5 % — secteur tertiaire 69 %.

Agriculture (millions de t, 86) : blé 31,8 — avoine 3,9 — orge 15 — maïs 6,7 — sucre de bett. 0,5 (85) — lin (graines) — p. de terre — tabac — fruits — plantes fourragères. **Élevage** : (millions de têtes, 86) : bovins 11,4 — porcs 11 — ovins 0,5 — lait 8 millions de t — viande 2,5 millions de t. **Pêche** (85) : 1 million de t. **Forêts et industries dérivées** : 8,4 millions de km² dont 57 % sont productifs — **production** (millions de m³) : bois rond 171 (85) — (millions de t, 85) : pâte de bois 19,8 — papier journal 9,2.

33a Environ de Vancouver
1 : 10 000 000

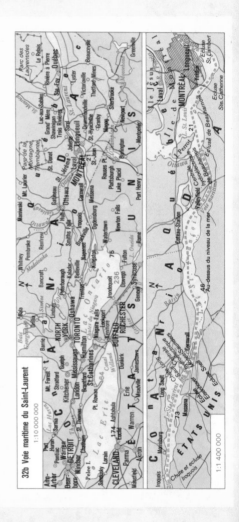

32b Voie maritime du Saint-Laurent

1:10 000 000

1:1 400 000

CANADA (suite)

Mines (millions de t, 86) : houille 30,5 — lignite 26,5 — pétrole 83,7 — capacité de raffinage 99,2 — gaz 78,5 milliards de m³ — fer (métal contenu) 22,7 — (milliers de t) : cuivre 768,2 — nickel 180,6 — plomb 349,4 — zinc 1 290 — amiante — argent 1 209 t — antimoine — étain — or 104 655 kg — uranium 11 700 t — tungstène. **Électricité** (86) 450,8 milliards de kWh (67 % hydr.). **Métallurgie** (millions de t, 86) : fonte 9,2 — acier 14 — aluminium 1,5 — cuivre 0,47 — plomb 0,26 — zinc 0,57 — automobiles 1 060 900 de tourisme et 785 200 utilitaires — const. navales 7 000 tonneaux.

Industries textiles (milliers de t) : filés de coton 127,2 (79) — de laine 2,9 (82) — fibres synthétiques 134,7 (86).

Communications (86) : voies ferrées 70 000 km — routes 278 680 km (85) — parc de véhicules automobiles (85) 14,8 millions — canaux et cours d'eau canalisés : 3 000 km. La voie maritime du Saint-Laurent (304 km) assure à elle seule plus de la moitié de ce trafic. Trafic des Grands Lacs (86) 37 400 000 t transportées.

Exportations (86) : 120,5 milliards de dollars canadiens — blé — papier journal — bois et pulpe — uranium — minerais divers — pétrole — gaz naturel. **Importations** : 112,6 milliards de dollars canadiens — machines — automobiles — matériel d'équipement et appareillage électrique — produits pétroliers — fruits.

ILES BAHAMAS

13 935 km² ; 250 000 hab. (est. 86). Indépendantes depuis juillet 1973, membre de Commonwealth. Capitale : Nassau 140 000 hab. (86). Monnaie : dollar des Bahamas.

Économie : le tourisme (2 300 000 visiteurs en 84) constitue la principale source de revenus — agriculture et pêche — capacité de raffinage 17,4 millions de t.

GROENLAND

2 175 600 km² ; avec seulement 341 700 km² non recouverts par la glace, 52 000 hab. (est. 86) ; autonomie depuis le 1ᵉʳ mai 1979. Capitale : Godthaab (86) 10 000 hab.

Ressources : pêche (19 % du P.N.B. en 86) — chasse du phoque et du morse — fourrures — abondantes réserves charbonnières, mais de faible pouvoir calorifique et d'exploitation difficile.

TERRITOIRES NON SOUVERAINS

Département français

SAINT-PIERRE-ET-MIQUELON : *242 km² ; 6 270 hab. (est. 86) ; département français. Chef-lieu : Saint-Pierre 5 646 hab. (81).*

Ressources : depuis que les « terre-neuvas » n'ont plus l'obligation de faire relâche à Saint-Pierre, une pêche locale s'est développée — cultures maraîchères — élevage des bovins, des visons et du renard argenté.

Territoire britannique

ÎLES BERMUDES : *53 km² ; 70 000 hab. (est. 86) ; colonie britannique avec un gouvernement semi-représentatif qui assiste le gouverneur. Capitale : Hamilton 3 000 hab. env. 360 îles dont 20 seulement sont habitées.*

Économie : importante base navale et aérienne de la Grande-Bretagne et des États-Unis. L'industrie touristique (40 % du P.N.B. en 85) est une source appréciable de revenus. **Principales productions** : fruits tropicaux et légumes — essences à parfum.

ÉTATS-UNIS D'AMÉRIQUE (É.-U.)

United States of America (U.S.A.) ; 9 363 123 km² en comprenant Alaska, 49ᵉ État et Hawaii, 50ᵉ État ; 244 427 100 hab. (janv. 88) ; république fédérale. Capitale : Washington 700 000 hab. [aggl. 3 046 000]. Monnaie : dollar.

Divisions administratives : 50 États (liste ci-dessous) et des possessions (voir p. 147).

États [abréviation]	Superficie en km²	Population 1986 milliers d'hab.	Capitale
Alabama [Ala.]	133 667	4 053	Montgomery
Alaska [AK]	1 518 755	534	Juneau
Arizona [Ariz.]	295 024	3 317	Phœnix
Arkansas [Ark.]	137 539	2 372	Little Rock
Californie [Cal.]	411 015	26 981	Sacramento
Caroline du Nord [N.C.]	136 524	6 331	Raleigh
Caroline du Sud [S.C.]	80 432	3 378	Columbia
Colorado [Col.]	270 000	3 267	Denver
Connecticut [Conn.]	12 973	3 189	Hartford
Dakota du Nord [N.D.]	183 022	679	Bismarck
Dakota du Sud [S.D.]	199 552	708	Pierre
Delaware [Del.]	5 328	633	Dover
District of Columbia [D.C.] ...	179	626	Washington
Floride [Fla.]	151 670	11 675	Tallahassee
Georgie [Ga.]	152 489	6 104	Atlanta
Hawaii [Hw]	16 636	1 062	Honolulu
Idaho [Id.]	216 412	1 003	Boise
Illinois [Ill.]	146 756	11 553	Springfield
Indiana [Ind.]	93 994	5 504	Indianapolis
Iowa [Ia]	145 791	2 851	Des Moines
Kansas [Kans.]	213 095	2 461	Topeka
Kentucky [Ky.]	104 623	3 728	Frankfort
Louisiane [La.]	125 674	4 501	Baton Rouge
Maine [Me.]	86 027	1 174	Augusta
Maryland [Md.]	27 394	4 463	Annapolis
Massachusetts [Mass.]	21 386	5 832	Boston
Michigan [Mich.]	150 779	9 145	Lansing
Minnesota [Minn.]	217 736	4 214	St.Paul
Mississippi [Miss.]	123 584	2 625	Jackson
Missouri [Mo.]	180 456	5 066	Jefferson City
Montana [Mont.]	381 087	819	Helena
Nebraska [Nebr.]	200 018	1 598	Lincoln
Nevada [Nev.]	286 298	963	Carson City
New Hampshire [N.H.]	24 097	1 027	Concord
New Jersey [N.J.]	20 295	7 620	Trenton
New York [N.Y.]	128 402	17 772	Albany
Nouveau-Mexique [N. Mex.] ..	315 115	1 479	Santa Fe
Ohio [Oh.]	106 765	10 752	Columbus
Oklahoma [Okla.]	181 090	3 305	Oklahoma City
Oregon [Oreg.]	251 181	2 698	Salem
Pennsylvanie [Pa.]	117 412	11 889	Harrisburg
Rhode Island [R.I.]	3 144	975	Providence
Tennessee [Tenn.]	109 412	4 803	Nashville
Texas [Tex.]	692 407	16 682	Austin
Utah [Ut.]	219 932	1 665	Salt Lake City
Vermont [Vt.]	24 887	541	Montpelier
Virginie [Va.]	105 711	5 787	Richmond
Virginie Occid. [W. Va.]	62 629	1 919	Charleston
Washington [Wash.]	176 617	4 463	Olympia
Wisconsin [Wis.]	145 439	4 785	Madison
Wyoming [Wyo.]	253 597	507	Cheyenne

34a Canal de Panamá

1 : 1 000 000

Coupe à travers le Canal de Panamá (Échelle des hauteurs multipliée par 100)

carte 34

ÉTATS-UNIS (suite)

Villes [et agglomérations] milliers d'hab., dernier recensement 1980 : New York (N.Y.) 7 071 [9 081] — Chicago (Ill.) 3 005 [7 058] — Los Angeles (Cal.) 2 967 [7 446] — Philadelphie (Pa.) 1 688 [4 701] — Houston (Tex.) 1 594 [2 891] — Detroit (Mich.) 1 203 [4 344] — Dallas (Tex.) 904 [2 964] — San Diego (Cal.) 875 [1 860] — Baltimore (Md.) 787 [2 166] — San Antonio (Tex.) 785 [1 070] — Phoenix (Ariz.) 765 [1 512] — Indianapolis (Ind.) 701 [1 110] — San Francisco (Cal.) 679 [3 227] — Memphis (Tenn.) 646 [910] — Washington (D.C.) 638 [3 045] — San Jose (Cal.) 637 [1 290] — Milwaukee (Wiss.) 636 [1 393] — Cleveland (Oh.) 574 [1 896] — Columbus (Oh.) 565 [1 089] — Boston (Mass.) 563 [2 760] — New Orleans (La.) 557 [1 184] — Jacksonville (Fla.) 541 — Seattle (Wash.) 494 [1 601] — Denver (Col.) 491 [1 615] — Nashville (Tenn.) 456 [828] — St. Louis (Mo.) 453 [2 345] — Kansas City (Mo.) 449 [1 322] — Atlanta (Ga.) 425 [2 010] — El Paso (Tex.) 425 [479] — Pittsburgh (Penn.) 424 [2 261] — Oklahoma City (Okl.) 403 [650] — Cincinnati (Oh.) 385 [1 392] — Fort Worth (Tex.) 385 [770] — Minneapolis (Minn.) 371 [2 109] — Portland (Oreg.) 366 [1 236] — Honolulu (Hawaii) 365 [750] — Tulsa (Okl.) 360 [500] — Buffalo (N.Y.) 358 [1 241] — Toledo (Oh.) 355 [693] — Miami (Fla.) 347 [1 574] — Albuquerque (N.M.) 332 [350] — Tucson (Ariz.) 331 [532] — Charlotte (N.C.) 314 [450] — Omaha (Neb.) 312 [550] — Louisville (Ky.) 298 [902] — Wichita (Kans.) 279 [400] — Sacramento (Cal.) 276 [1 011] — Tampa (Fla.) 271 [1 000] — St-Paul (Minn.) 270 [1 800] — Norfolk (Va.) 267 [800] — Rochester (N.Y.) 242 [970] — Newark (N.J.) 239 — St. Petersburg (Fla.) 236 — Jersey City (N.J.) 223 [600] — Richmond (Va.) 219 [631] — Baton Rouge (La.) 219 [496]. Plus de 200 villes dépassent 100 000 habitants. 73,5 % de la population vit dans des villes.

Population : les Américains d'origine européenne sont 82 % — les Noirs représentent 12 % de la population totale où l'on trouve aussi des Chinois (810 000) — des Indiens (Peaux Rouges, 1 362 000) — des Esquimaux et des Aléoutes. La population noire est surtout concentrée dans le Sud Mississippi 42 % des hab. de l'État — Caroline du Sud 35 % — Louisiane 32 % — Alabama 30 % — Georgie 28 %. La ville de New York a une minorité noire importante (1,4 million en 79). Washington compte une forte proportion de Noirs (71 %).

ÉCONOMIE (voir page 78, le tableau comparatif U.R.S.S./États-Unis). Les États-Unis sont, depuis 50 ans, la plus grande puissance économique du monde. Trois millions et demi d'agriculteurs produisent, sur une « surface utile » de 1,7 million de km², 43 % du maïs, près de 13 % du coton et près de la moitié de la viande. Ils utilisent le tiers de l'énergie mondiale et se classent au premier rang pour de nombreuses productions minérales. Avec la sixième flotte marchande mondiale, les États-Unis assurent 14 % du commerce mondial pour lequel ils occupent la première place. Mais ils ne sont plus que le 2e exportateur derrière la R.F.A., et la dette extérieure est la plus élevée du monde (200 milliards de dollars).

Population active (86) : agriculture 3,3 % — industrie 28,5 % — secteur tertiaire 68,2 %.

AGRICULTURE. A ses débuts, l'agriculture américaine s'est caractérisée par une expansion rapide, s'accompagnant du gaspillage des ressources naturelles (monoculture extensive sans engrais — érosion, comme dans le « Dust Bowl », etc.). Mais, très vite, la conservation des sols a fait l'objet d'études (labours effectués selon les courbes de niveau) et a donné lieu à des plans de reconstitution des forêts et des pâturages, de régularisation et d'irrigation (Tennessee Valley Authority). Aujourd'hui, l'exploitation se fait de manière moins extensive, elle fait appel à une mécanisation très poussée (4,6 millions de tracteurs, 84) et utilise largement les engrais naturels et artificiels. Les rendements sont un peu inférieurs à ceux de la France.

Productions agricoles (millions de t, 86) : maïs 209 (1er prod. mond., Corn Belt) — blé 56,7 (Kansas, Dakota) — avoine 5,5 — orge 13,3 — riz 3,5 — soja 54,6 (57 % de la prod. mond.) — fibres de coton 2,1 (Cotton Belt) — graines de coton 3,5 — sucre (canne et bett.) 5,8 — p. de terre 16 — tabac 0,5 (2e prod. mond. : Caroline du Nord, Kentucky, Virginie, Caroline du Sud, Tennessee, Georgie) — agrumes 10 (1er prod. mond. : Floride) — fruits (Philadelphie, lac Érié) — vin 17,7 millions d'hl — arachides 1,5.

Élevage (millions de têtes, 86) : bovins 105 — ovins 9,9 — porcs 52,3 — lait 65,5 millions de tonnes — viande (1er prod.) 26,4 millions de t — laine 39 000 t — animaux de basse-cour. **Pêche** (86) 4,9 millions de t.

Forêts : les forêts exploitables occupent plus de 1/5 du sol. **Production** (86) : bois rond 283 millions de m³ — papier et carton 60,9 millions de t.

ÉTATS-UNIS (suite)

ÉNERGIE ET RESSOURCES MINÉRALES. Une consommation très importante, particulièrement au cours des deux guerres mondiales, a hâté l'épuisement des gisements les plus pauvres et, dans le but de ménager leurs disponibilités, les États-Unis importent de grosses quantités de matières premières. Ils restent cependant le deuxième producteur d'énergie et de produits minéraux, et toutes les variétés de minéraux et minerais sont représentées.

Productions minérales (millions de t, 86) : pétrole (2e prod. mond.) 447 *(Texas, Louisiane, Californie, Oklahoma, Wyoming, Kansas, Nouveau-Mexique, Illinois* produisent chacun plus de 10 millions de t et le *Texas* environ 100 millions) — capacité de raffinage 776 (21 % du monde) — charbon (2e prod.) 650,6 *(Virginie occid., Kentucky, Pennsylvanie, Illinois)* — lignite 63,3 — gaz naturel 452,1 milliards de m³ (2e prod. avec 25 % du total mondial) — fer (métal contenu) 25 *(lac Supérieur, Alabama)* — bauxite 0,5 — cuivre 1,1 — plomb 0,3 — zinc 0,2 — molybdène 404 000 t (60 % du monde) — manganèse 18 037 t (85) — argent 1 064 t — mercure 470 t — tungstène 996 t (85) — or 116 115 kg — cobalt — vanadium — nickel 11 000 t — uranium 4 400 t (3e prod. mond.) — matières premières de l'industrie chimique (millions de t) : phosphates 40 — soufre 11,2 — sel 12,6 — potasse 0,9. **Électricité** (86) : 2 489 milliards de kWh, pour moitié d'origine thermique (régions minières des *Appalaches, Illinois*) près des sources de gaz naturel *(Texas, Californie).* L'énergie hydr. produit 336 milliards de kWh (86) *(Tennessee, Colorado, Columbia).* Les centrales atomiques produisent 434,6 milliards de kWh.

INDUSTRIE. Dans la presque totalité des industries, les États-Unis occupent la première place mondiale. Les centres les plus importants demeurent localisés dans le Nord-Est, en dépit de la politique de décentralisation qui vise à implanter des usines sur la côte Pacifique et dans la région côtière du golfe du Mexique. La répartition de la main-d'œuvre est estimée : Nord-Est 66 % — Sud 17 % — Ouest 11 % — Middle West 6 %.

Métallurgie (millions de t, en 86) : fonte 39,8 — acier 72,8 (3e rang mond., 10 % du total) — aluminium 4,3 — cuivre 0,4 — plomb 0,9 — zinc 0,3 — automobiles (86) 7,7 millions de véhicules de tourisme *(Detroit)* et 3,3 d'utilitaires (85) — const. navales 327 700 tonneaux (86) — const. aéronautiques *(côte Pacifique)* — locomotives — wagons — machines-outils — matériel agricole — appareils électriques et électroniques. Les États les plus importants pour l'industrie mécanique sont ceux du Middle West *(Ohio, Indiana, Illinois, Michigan, Wisconsin)* et les plus grands centres sont : *Detroit, Chicago, Philadelphie, New York, Los Angeles, Baltimore.*

Chimie (millions de t, 85) : acide sulfurique 35,8 — soude caustique 9,9 — engrais azotés 9,4 — plastiques et résines 16,8 (86) — caoutchouc synthétique 2 (86) — ciment 71 (86) — papiers et cartons 60,9 — pétrochimie la plus importante du monde.

Textiles (milliers de t, 85) : filés de coton 2 924 — filés de laine *(Géorgie, Caroline Nord et Sud)* — fibres de synthèse (1er rang mondial) 3 775.

COMMUNICATIONS : voies ferrées 320 000 km — routes 6,3 millions de km (86) — voitures de tourisme en circulation (85) 172 millions — véhicules industriels 39 — le quart des échanges intérieurs s'effectue par la route — pipelines 855 000 km — flotte (86) 19,9 millions de t, sans compter les navires qui circulent sous « pavillon de complaisance » — trafic effectué dans les ports : plus de 1,8 milliard de tonnes de marchandises par an (86) — aviation 527,9 milliards de passagers/km et 9,4 milliards de tonnes/km en 1985.

Exportations (86) : 217 milliards de dollars : machines et véhicules — produits alimentaires — avions — carburants — coton — tabac. **Clients :** Canada (22 %), Japon (10 %), Mexique (6,3 %), Pays-Bas (5,7 %), Royaume-Uni (5,2 %), Allemagne fédérale (4,2 %). **Importations :** 387 milliards de dollars : pétrole — produits tropicaux — métaux non ferreux — bois et papier — sucre — automobiles. **Fournisseurs :** Japon (20 %), Canada (19 %), Allemagne fédérale (5,8 %), Mexique (5.5 %), Royaume-Uni (4,3 %).

POSSESSIONS EXTÉRIEURES

a) un État fédéral autonome : Porto-Rico (p. 154 bis) ;
b) des territoires : îles Vierges (p. 154 bis), Samoa américain-Guam (p. 175) ;
c) des territoires sous mandat des Nations Unies : îles du Pacifique (p. 175) ;
d) un condominium anglo-américain : Canton et Enderbury (p. 175).

MEXIQUE

Estados Unidos Mexicanos ; 1 972 547 km² ; 81 900 000 hab. (est. 87) ; république fédérale. Capitale : *Mexico [aggl.] 13 994 000 hab. (est. 86).* Monnaie : *peso.*

Divisions administratives : 29 États, 1 district fédéral, 2 territoires. **Villes** (milliers d'hab. 80) : Guadalajara 1 906 — Ciudad Nezahualcoyotl 1 341 — Monterrey 1 090 — Puebla 835 — Ciudad Juarez 625 — León 624 — Tijuana 566 — Acapulco 462 — Mérida 400 — Chihuahua 385 — Mexicali 348. **Population** : métis, descendants de Blancs et d'Indiens 55 % — Indiens 29 % — Blancs (Espagnols) 16 %.

ÉCONOMIE : en dépit des effets de la réforme agraire qui a redistribué 25 millions d'hectares de terres peu ou pas cultivées, il subsiste deux types d'agriculture : l'une rudimentaire, sur brûlis, assure la subsistance des paysans les plus pauvres et l'autre, sur les terres riches et bien irriguées, s'adonne aux cultures commerciales dans de vastes domaines, les « haciendas ». Le sous-sol recèle de nombreuses richesses. La découverte en 1977 de ressources pétrolières évaluées à 7,7 milliards de tonnes fait du Mexique un des États les plus riches en pétrole.

Agriculture (milliers de t, 86) : blé 4 321 (dans le Nord) — maïs 13 599 — riz 616 (littoral) — café 278 — fibres de coton 152 — cacao 43 — bananes 1 500 — agrumes 2 118 — ananas — sisal. **Élevage** (millions de têtes, 86) : bovins 31,1 — porcs 19 — ovins 6,5. **Forêts** : 34 % du sol — acajou et bois de campêche. **Pêche** (86) : 1 304 100 t.

Mines (milliers de t, 86) : argent (1er prod. mondial) 2,3 *(Pachuca, Parral)* — plomb 196 *(Sta Barbara, Lampazos, Zimapan)* — cuivre 182 — fer 5 050 — zinc 273,8 (85) — manganèse — antimoine — fluor — soufre — mercure — or 7 795 kg — pétrole 137,5 millions de t — capacité de raffinage 67,2 — gaz 26,5 milliards de m³ — uranium. **Électricité** (86) : 89 milliards de kWh (25 % hydr.).

Industries (milliers de t, 86) : acier 7 140 *(Monterrey, Monclova, Mexico)* — cuivre 58,9 — plomb 173,3 — zinc 176,5 — industries textiles *(Torreón, Monterrey, Durango, Nogalés)* — produits chimiques *(Ocotlan, Zacapa, Mexico)* — industries légères.

Communications : voies ferrées 25 540 km — routes 214 073 km (84), autoroute panaméricaine 25 470 km — flotte (86) 1 520 000 tonneaux — ports *(Veracruz, Tampico).* **Exportations** (81) : 9 889,4 milliards de pesos — coton — café — minerais — pétrole. **Importations** : 7 225,5 milliards de pesos — machines — produits chimiques — fonte et acier.

GUATEMALA

Republica de Guatemala ; 108 889 km² ; 8 400 000 hab. (est. 87). Capitale : *Guatemala City (aggl. est. 86) 2 000 000 d'hab.* Monnaie : *quetzal.*

ÉCONOMIE (86) : le café constitue la principale denrée d'exportation (30 % des sommes totales) 156 000 t — fibres de coton — cacao — bananes et fruits exploités pour le compte de la United Fruit — *Chicle* (pour le chewing-gum) — bois durs — plomb — zinc — antimoine — nickel non encore exploité — pétrole — argent. **Exportations** (86) : 1 208 millions de dollars — café — coton — bananes. **Importations** (85) : 1 175 millions de dollars — textiles — machines.

SALVADOR (EL)

Republica de El Salvador ; 21 041 km² ; 5 300 000 hab. (est. 87). Capitale : *San Salvador 900 000 hab. (86).* Monnaie : *colon.*

ÉCONOMIE (milliers de t, 85) : cultures vivrières : maïs 520 — riz — cultures commerciales, essentiellement café 150 — sucre de canne 532 — fibres de coton — tabac — dans la forêt : *balsames* (fournissant un baume médicinal). **Exportations** : café (11 % du P.N.B. en 85).

HONDURAS

*Republica de Honduras; 112 088 km²; 4 700 000 hab. (est. 87). Capitale :
Tegucigalpa (est. 86) 600 000 hab. Monnaie : lempira.*

ÉCONOMIE (milliers de t, 85) : maïs 484 — café 80 — manioc — bananes 1 300 — tabac 5 —
riz — sucre de canne — ananas — coprah — bois tropicaux — 2 500 000 bovins — minerais
variés mais peu abondants : plomb, argent. **Exportations** (85) : 406 millions de dollars : bananes
(25 %) et produits alimentaires — bois. **Importations** : 585 millions de dollars.

NICARAGUA

*Republica de Nicaragua; 130 000 km²; 3 500 000 hab. (est. 87). Capitale :
Managua 1 000 000 d'hab. (est. 86). Monnaie : cordoba.*

ÉCONOMIE (milliers de t, 85) : café 50 — fibres de coton 46 — sucre de canne — bananes —
cacao — maïs — riz — blé — sésame — bois d'acajou. **Élevage** (85) : bovins 1,9 million de têtes.
Mines : or — zinc — argent — cuivre — tungstène — ind. légères — raffinerie de pétrole *(Managua)*. **Exportations** (86) : 298 millions de dollars : coton — café — or — sucre — bois. **Importations** : 813 millions de dollars : machines — fonte et acier — produits alimentaires.

COSTA RICA

*Republica de Costa Rica; 50 700 km²; 2 800 000 hab. (est. 87). Capitale : San
José (est. 86) 600 000 hab. Monnaie : colon.*

ÉCONOMIE : (milliers de t, 86) : café 128 — bananes 1 100 — cacao — sucre de canne —
tabac. **Élevage** : 2,5 millions de bovins (85) — industrie laitière — petites industries alimentaires
et textiles. **Exportations** (85) : 957 millions de dollars — café (25 %) — bananes (20 %) — cacao
— sucre. **Importations** : 1 108 millions de dollars : machines et biens d'équipement — produits
chimiques.

PANAMA

*Republica de Panama; 75 650 km²; 2 300 000 hab. (est. 87). Capitale : Panama
(est. 86) 765 000 hab. Monnaie : balboa.*

ÉCONOMIE : 15 % seulement du sol cultivable dont 7 % cultivé. Le déficit de la balance
commerciale est compensé par le « prêt » de pavillon pour la navigation commerciale. Importants bénéfices provenant des droits de passage du canal.
Production (milliers de t, 86) : maïs — riz — manioc — café — bananes 1 100 (11e rang mond.)
— canne à sucre — crustacés. **Flotte** (86) : 41,3 millions de tonneaux.

CUBA

*Republica de Cuba; 114 524 km²; 10 300 000 hab. (est. 87). Capitale : La Havane
(Habana) (est. 86), aggl. 1 900 000 hab. Monnaie : peso cubain.*

Villes (milliers d'hab., est. 84); Santiago de Cuba 353 — Camagüey 253 — Holguin 192.
ÉCONOMIE : La réforme agraire (confiscation des biens des planteurs américains) et la natio-
nalisation des raffineries de sucre puis de pétrole, ont modifié les structures économiques,
aujourd'hui orientées vers le socialisme. Ressources essentielles : canne à sucre (45 % des terres
cultivées) et tabac. **Production** (milliers de t, 86) : sucre de canne (1er prod. mond.) 7 347 — tabac
46 — maïs — riz 525 — fruits — légumes. **Élevage** (86) : 6,4 millions de bovins. **Mines** (milliers
de t, 86) : nickel 35,1 — manganèse — pétrole 1 000 — soufre — chrome. **Industries** : manu-
factures de tabac — sucreries — distilleries — raffinage des métaux — produits chimiques.
Exportations (86) : 7,9 milliards de pesos — sucre (66 %) — minerais — tabac. **Importations** :
7,8 milliards de pesos — machines — produits alimentaires — minerais.

MEXIQUE:

États:

1 Aguascalientes
2 Basse Californie (Nord)
3 Basse Californie (Sud)
4 Campêche
5 Chiapas
6 Chihuahua
7 Coahuila
8 Colima
9 Durango
10 Guanajuato
11 Guerrero
12 Hidalgo
13 Jalisco
14 México
15 Michoacán
16 Morelos
17 Nayarit
18 Nuevo León
19 Oaxaca
20 Puebla
21 Querétaro
22 Quintana Roo
23 San Luis Potosi
24 Sinaloa
25 Sonora
26 Tabasco
27 Tamaulipas
28 Tlaxcala
29 Veracruz
30 Yucatán
31 Zacatecas
Distrito Federal (México)

36a
1:100

Territoires néerlandais

ANTILLES NÉERLANDAISES

De Nederlandse Antillen : 961 km² ; 300 000 hab. (est. 86) ; territoire d'outre-mer ; 6 districts insulaires : Curaçao — Aruba — Bonaire — St-Maarten (St-Martin) — St-Eustache — Saba. Capitale : Willemstad 160 000 hab. (86). Monnaie : florin de Curaçao.

Économie : seule culture un peu importante : le café. Grande importance du raffinage du pétrole. Capacité de raffinage (85) 37 millions de t (19e rang mondial). Raffineries à Curaçao et Aruba. Soufre. L'aridité du climat ne permet pas de cultures sans irrigation. Essor du tourisme.

Territoires des États-Unis

PORTO-RICO *(PUERTO-RICO)*

Commonwealth of Puerto Rico ; 8 897 km² ; 3 300 000 hab. (est. 87) ; État fédéral autonome des États-Unis. Capitale : San Juan (aggl., est. 86) 1 100 000 hab.

Villes (milliers d'hab. 80) : Ponce 207 — Bayamon 195 — Mayagüez 106 — Arecibo 70. **Économie :** agriculture tropicale (milliers de t, 86) : sucre de canne 95,7 — bananes — tabac — café 1,2. **Industries :** raffineries de sucre — distilleries de rhum — raffinage de pétrole 14,1 millions de t (81) — ciment — sidérurgie — électricité 12,8 milliards de kWh (86). **Tourisme.** L'essentiel du commerce s'effectue avec les États-Unis.

ILES VIERGES

Virgin Islands of the United States ; 344 km² ; 117 000 hab. (est. 86) ; comprennent les îles St-Thomas, St-Croix, St-John et une poussière d'îlots. Capitale : Charlotte Amalie 30 000 hab. (est. 86).

Économie : sucre — rhum — cultures maraîchères — raffinerie de pétrole — tourisme.

CORN, île faisant partie du Nicaragua mais louée aux États-Unis pour 99 ans, depuis 1916.

ZONE DU CANAL DE PANAMA

1 432 km² (1 676 km² avec les surfaces lacustres) ; 29 000 hab. (est. 85) ; territoire administré par les États-Unis en vertu d'un traité de 1903 (modifié en 1978). Le canal unissant les océans Atlantique et Pacifique est long de 80 km. Le temps de traversée d'un navire est de 6 à 7 heures. En 1986, 11 926 bateaux transportant 127 millions de t de marchandises ont transité et acquitté des droits.

HAÏTI

République d'Haïti, 27 750 km² ; 6 200 000 hab. (est. 87). Capitale : Port-au-Prince (est. 86) 800 000 hab. Monnaie : gourde. Langue officielle : le français (compris par 30 % de la pop.).

ÉCONOMIE : tiers du sol cultivable : pauvreté considérable dans les campagnes. **Agriculture** (milliers de t, 85) : maïs 90 — patate douce 350 — café 38 — sisal 9 — bananes 235 — coton 5 — riz 125 — canne à sucre 3 000 — cacao 3 — agrumes. **Mines** : cuivre — or — argent — fer — manganèse. Industries légères.

Exportations (85) : 453 millions de dollars — café — sisal — sucre (États-Unis acheteurs pour 81 % du total). **Importations** : 685 millions de dollars (63 % des États-Unis).

RÉPUBLIQUE DOMINICAINE

Republica Dominicana ; 48 734 km² ; 6 560 000 hab. (est. 86). Capitale : Santo Domingo (est. 86) 2 000 000 d'hab. Monnaie : peso.

ÉCONOMIE : essentiellement agricole. 1/4 du sol est cultivé alors que la moitié des terres pourrait être mise en cultures. Au Sud-Est, grandes plantations de canne à sucre. **Production** (milliers de t, 86) : sucre de canne 830 (deux sociétés en produisent les 4/5) — café 55 — cacao 30 — tabac — maïs — arachide — bananes 320 (85). **Mines** : bauxite — fer — sel — or — argent — nickel.

Exportations (85) : sucre (33 %) — café (9,7 %) — or et argent — cacao — tabac. **Importations** : pétrole — prod. alimentaires — machines — fer et acier — véhicules — prod. chimiques et pharmaceutiques.

JAMAÏQUE

Jamaïca ; 10 991 km² ; 2 500 000 hab. (est. 87) ; membre du Commonwealth. Capitale : Kingston (est. 86) 700 000 hab. Monnaie : dollar jamaïcain.

ÉCONOMIE : riches plantations en partie contrôlées par la « United Fruit », et exploitation de bauxite. **Agriculture** (milliers de t, 86) : sucre de canne 2 083 — rhum — bananes 160 — café — cacao — coprah — piment — gingembre. **Mines** (85) : bauxite 6,2 millions de t — gypse. **Industries** : de transformation (alumine 1,7 million de t, 84) et une raffinerie de pétrole.

Exportations (85) : 549 millions de dollars — bauxite et alumine (65 %) — sucre — bananes — agrumes — cacao — café — piment — gingembre — rhum. **Importations** : 1 124 millions de dollars — produits manufacturés — prod. alimentaires — machines. **Tourisme**.

BARBADE

Barbados ; 430 km² ; 270 000 hab. (est. 86) ; État membre du Commonwealth. Capitale : Bridgetown (est. 86). 11 000 hab. Monnaie : dollar de Barbade.

ÉCONOMIE : grande production de canne à sucre et industrie touristique. **Production** (milliers de t, 85) : sucre de canne 100 247 t — pêche — raffineries de sucre et distilleries de rhum. **Tourisme** : 359 000 visiteurs en 1987.

Territoires associés au Royaume-Uni

ANTIGUA *(avec Barbuda et Redonda)* ; 442 km² ; 80 000 hab. (86) : État indépendant depuis 1.1.82. Monarchie, membre du Commonwealth. Capitale : St-John's 30 000 hab. (82).
Ressources : sucre de canne — coton — rhum — tourisme.

BELIZE *(s'est appelé Honduras britannique jusqu'en juin 1973)* ; 22 965 km² ; 200 000 hab. (est. 87) ; indépendant depuis sept. 1981. Monarchie, membre du Commonwealth. Capitale : Belmopan 8 000 hab. (est. 86). Autre ville : Belize City 40 000 hab.

Ressources : la moitié du pays est couverte de forêts (acajou et bois précieux). **Cultures** : canne à sucre — agrumes — agriculture de subsistance.
Productions : sucre, principale exportation.

GRENADE *(Grenada)* ; 344 km² *(y compris Carriacou et autres dépendances des îles Grenadines)* ; 112 000 hab. (est. 86) ; indépendant (depuis 1974) ; monarchie, membre du Commonwealth. Capitale : St-George's 30 000 hab.
Ressources : cacao (18 % des terres arables) — noix de muscade — citron — bananes — canne à sucre. Tourisme.

ÉTATS ASSOCIÉS DES INDES OCCIDENTALES

Ils comprennent :
ANGUILLA : 91 km² ; 7 000 hab. (est. 86) ; séparée de Saint-Christophe et Nevis depuis 1980. Territoire dépendant du R.-U.

DOMINICA : 751 km² ; 90 000 hab. (est. 86) ; État membre du Commonwealth. Capitale : Roseau 12 000 hab. (est. 86).
Ressources : bananes — agrumes — cacao — huile de noix de coco.

SAINT-CHRISTOPHE ET NEVIS : 262 km² ; 45 000 hab. (est. 86). Capitale : Basse-Terre 17 000 hab. État membre du Commonwealth.
Ressources : sucre de canne, coton, sel.

SAINTE-LUCIE *(Santa Lucia)* ; 616 km² ; 132 000 hab. (est. 86) ; État membre du Commonwealth. Capitale : Castries 45 000 hab. (est. 86).
Ressources : bananes 80 000 t (85) — noix de coco — coprah — huileries.

SAINT-VINCENT : 389 km² *(y compris Bequia et autres dependances des îles Grenadines)* ; 100 000 hab. (est. 86) ; État indépendant depuis oct. 1979, membre du Commonwealth. Capitale : Kingstown 30 000 hab. (est. 86).
Ressources : banane 33 000 t (86) — noix de coco — coprah — marante (1er rang mond.) — huileries.

COLONIES DU ROYAUME-UNI

CAÏMANS *(Cayman Islands)* ; 259 km² ; 18 000 hab. (est. 86) ; colonie britannique. Capitale : Georgetown 8 000 hab. (est. 86).
Ressources : pêche à la tortue — pêche au requin. Tourisme.

MONTSERRAT : 103 km² ; 12 100 hab. (est. 86) ; colonie britannique. Capitale : Plymouth (86) 3 000 hab.
Ressources : fruits — légumes — coton — bétail.

TURKS et CAIQUES *(Turks and Caicos Islands)* ; 430 km² ; 8 000 hab. (est. 86) ; colonie britannique. Capitale : Grand Turk 3 200 hab. (est. 86).
Ressources : sel (marais salants) — crustacés — blé — haricot.

VIERGES *(îles) (British Virgin Islands)* ; 153 km² ; 12 000 hab. (est. 86) ; colonie britannique. Capitale : Road Town 4 000 hab. (est. 80). 42 îles dont 11 sont habitées.
Ressources : pêche — fruits et légumes. Tourisme très actif (env. 170 000 visiteurs en 85).

AMÉRIQUE DU SUD

L'Amérique du Sud, située en grande partie dans l'hémisphère austral, s'étend sur 17 821 000 km² et compte 281 millions d'habitants, soit une densité moyenne de 15,8 hab./km². Les îles Galapagos, dans le Pacifique, la Terre de Feu au sud, et les îles Falkland (ou Malouines) et quelques petites îles éparses appartiennent à l'Amérique du Sud. Le point le plus au nord est la pointe Gallinas, en Colombie (12°28′ Nord), le plus au sud le cap Horn (55° Sud), le plus à l'ouest est au Pérou, le cap Pariñas (81° 20′ Ouest), le plus à l'est est au Brésil, le cap Branco (36°46′ Ouest).

Côtes : sauf au sud-ouest, les côtes sont massives, sans grandes échancrures et s'étendent sur environ 28 700 km.

Structure et relief : à l'ouest, la Cordillère des Andes, longue de 7 000 km, est le prolongement des montagnes Rocheuses de l'Amérique septentrionale. Mais, ici, la largeur est inférieure à 400 km et lorsque les chaînes s'écartent dans la partie centrale, elles enserrent des hauts plateaux, ou « altiplanos », atteignant 4 000 m et plus. La continuité des crêtes dépassant régulièrement 5 000 m est un obstacle aux communications. Relativement récents, les *Andes* montrent encore des traces de volcanisme actif. Au nord et à l'est, de vieux socles basculés : *plateau des Guyanes, plateau brésilien* et, au sud, la *Patagonie*, n'empêchent pas la plaine centrale de communiquer facilement avec l'Atlantique vers lequel ils s'inclinent. Au nord, les plaines de l'*Orénoque* ; au centre, d'immenses plaines à peine ondulées : *Amazonie, Pampa argentine* s'ouvrent sur la mer. Le sommet le plus élevé est l'Aconcagua (6 958 m), le point le plus bas : la dépression des marais de Salinas Chicas est à moins 35 m.

Fleuves : ils se déversent presque tous dans l'Atlantique. Au nord, l'*Orénoque*, en période de crues, communique avec les affluents de l'Amazone. Au sud, le *Parana* et son affluent le *Paraguay* se mêlent à l'*Uruguay* pour former l'estuaire du *Rio de la Plata*. L'*Amazone* draine avec ses affluents la vaste cuvette centrale. Sa source est située à 5 000 m d'altitude, mais à 1 000 km de son embouchure le fleuve n'est plus qu'à 60 m. Navigable sur plus de la moitié de son cours, il s'achève en un vaste delta : les navires de mer de 10 000 t peuvent le remonter jusqu'à Manaus.

Climat : presque tout entière située dans le monde tropical, l'Amérique du Sud est aussi ouverte à l'influence des vents alizés humides et chauds de l'Atlantique. Il en résulte une température élevée toute l'année (seules les Andes et l'extrémité sud connaissent une saison froide bien marquée) et une atmosphère humide. **Températures moyennes annuelles** en degrés centigrades (et précipitations moy. annuelles en millimètres) : Guayaquil (Équateur) 25°7 [976] — Manaus (Amazonie) 27°2 [1 771] — Belem 25°9 [2 277] — Lima (Pérou) 19°3 [48] — Natal 26°1 [1 460] — Coquimbo (Chili, désert) 14°6 [114] — Asuncion (Paraguay) 26°6 [1 315] — Rio de Janeiro 23°2 [1 099] — Buenos Aires 16°1 [962] — Punta Dungeness (Terre de Feu) 7°2 [292].

Flore et faune : correspondent au climat. De part et d'autre de l'équateur, règne la forêt dense (« l'enfer vert »), domaine d'une faune féroce. Puis à mesure que les pluies se font moins abondantes, apparaissent les savanes, de hautes herbes (« llanos » ou « campos ») ou des étendues d'arbustes épineux : les « caatingas ». Au sud du Tropique, une prairie herbeuse, la « pampa » et, en Patagonie, la steppe froide et sèche. Les Andes présentent tous les types de paysages : au nord, l'humidité favorise les savanes boisées et verdoyantes ; au centre, les plateaux arides de Bolivie et du Pérou sont le domaine d'une steppe rase, la « puña » ; enfin au sud les Andes glaciaires sont couvertes de neige.

Peuplement : si l'Amérique du Sud précolombienne avait connu de brillantes civilisations, les Amérindiens n'étaient, croit-on, que six à huit millions avant l'arrivée des Blancs. Les peuples colonisateurs : Espagnols et Portugais, introduisirent des esclaves noirs et l'immigration blanche fut tardive et moins importante qu'en Amérique du Nord : Européens d'origine latine en majorité, avec un petit nombre de Français, d'Allemands et de Slaves. A une époque récente, des Asiatiques se sont installés dans certaines régions tropicales. Aujourd'hui, une population encore peu nombreuse a surtout peuplé la périphérie du continent. Depuis le début du siècle, on assiste à un essor démographique sans pareil. Malheureusement, le continent, partagé en de nombreux États, voit son développement entravé par l'instabilité politique, et surtout par des systèmes économiques encore inadaptés : fournisseur de matières premières agricoles et minières, le continent est acheteur de produits manufacturés étrangers.

AMÉRIQUE DU SUD

FLEUVES LES PLUS LONGS

	Longueur en km	Bassin en km²
Amazone	6 480	7 050 000
Parana	4 700	3 104 000
Madeira	3 230	(Amazone)
São Francisco	2 900	—
Orénoque	2 200	960 000

LACS LES PLUS VASTES

	Sup. km²	Altitude en m
Titicaca	6 900	3 812
Poopo	2 530	3 700
Buenos Aires	2 400	250
Argentino	1 400	200
Viedma	1 100	255

MONTAGNES LES PLUS ÉLEVÉES (V. = Volcan ; altitude en mètres)

Aconcagua [V. — *Andes-Argentine*]	6 958
Ojos del Salado [V. — *Andes-Argentine*]	6 886
Huascarán [*Andes-Pérou*]	6 768
Chimborazo [V. — *Andes-Équateur*] ..	6 267
Cotopaxi [V. — *Andes-Équateur*] ...	5 896
Misti [V. — *Andes-Pérou*]	5 842

Pico Cristobal Colon [*Sierra Nevada de Sta Marta-Colombie*] ...	5 775
Sangay [V. — *Andes-Équateur*]	5 323
Fitz Roy [*Andes-Chili*]	3 375
Pico da Bandeira [*Brésil*]	2 880
Roraima [*Pl. des Guyanes-Venezuela*]	2 771

CHUTES D'EAU LES PLUS HAUTES

	hauteur m
Angel [*Ven.*]	979
Kukenaam [*Ven.-Guyane*]	610
Roi Édouard VII [*Guyane*]	256
Guayna-Sede Quetas (riv. Parana)	114

ILES LES PLUS ÉTENDUES

	Sup. km²
Terre de Feu	71 500
Falkland orientale	6 882
Trinité	4 820
San Cristobal	7 870

DÉSERT (superficie en km²)

Atacama [*Chili*]	181 000

GLACIER LE PLUS GRAND

	Sup. km²
Patagonie	4 000

LES ÉTATS

Pays (et page de la notice géographique)	Superficie en km²	Population	Année	Densité hab/km²
Argentine *(p. 166)*	2 776 889	31 500 000	est. 87	11,4
Bolivie *(p. 163)*	1 098 581	6 500 000	»	5,9
Brésil *(p. 163)*	8 511 965	141 500 000	»	16,6
Chili *(p. 167)*	756 945	12 400 000	»	16,4
Colombie *(p. 162)*	1 138 914	29 900 000	»	26,3
Équateur *(p. 162)*	283 561	10 000 000	»	35,3
Falkland (îles) *(p. 167)*	12 173	2 100	est. 86	0,1
Guyane *(p. 162)*	214 969	850 000	est. 87	3,9
Guyane française *(p. 153)*	91 000	85 000	»	0,9
Paraguay *(p. 166)*	406 752	4 300 000	»	10,6
Pérou *(p. 163)*	1 285 216	20 700 000	»	16,1
Surinam (ex-Guyane néerl.) *(p. 167)*	163 265	400 000	»	2,4
Trinité et Tobago *(p. 167)*	5 128	1 300 000	»	253,5
Uruguay *(p. 166)*	176 215	3 100 000	»	17,6
Venezuela *(p. 162)*	912 050	18 300 000	»	20,1

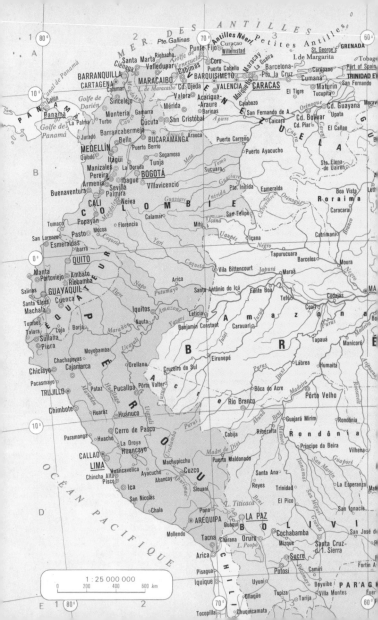

BRÉSIL

États fédérés:

1 Acre
2 Alagoas
3 Amazonas
4 Bahia
5 Ceará
6 Espírito Santo
7 Goiás
8 Maranhão
9 Mato Grosso
10 Mato Grosso do Sul
11 Minas Gerais
12 Pará
13 Paraíba
14 Paraná
15 Pernambuco
16 Piauí

17 Rio de Janeiro
18 Rio Grande do Norte
19 Rio Grande do Sul
20 Rondônia
21 Santa Catarina
22 São Paulo
23 Sergipe

Territoires fédérés:

24 Amapá
25 Fernando de Noronha
26 Roraima

District fédéral:

27 Distrito Federal

GUYANE

Cooperative Republic of Guyana ; 214 969 km² ; 850 000 hab. (est. 87) ; membre du Commonwealth. Capitale : *Georgetown (est. 86) 170 000 hab.* Monnaie : *dollar guyanais.*

ÉCONOMIE : sur la côte, quelques grandes plantations ; puis la forêt dense (85 % de la superficie) (balata — caoutchouc) mais la grande richesse est constituée par la bauxite (9ᵉ prod. mond.) exportée aux 3/4 à l'état brut. **Production :** canne à sucre — riz — cocotiers — café — cacao — un peu d'élevage — bauxite (86) 2 millions de t — or — diamants. Industrie de transformation : alumine 73 157 t (84).

VENEZUELA

Republica de Venezuela ; 912 050 km² ; 18 300 000 hab. (est. 87) non compris env. 34 000 Indiens vivant dans la jungle). Capitale : *Caracas (est. 86) aggl. 3 500 000 hab.* Monnaie : *bolivar.*

Divisions administratives : 20 États, 4 territoires fédéraux et les dépendances (îles antillaises). **Villes** (milliers d'hab., rec. 85) : Maracaibo 888 — Valencia 616 — Barquisimeto 496 — Maracay 440 — San Cristobal 198.

ÉCONOMIE : le pétrole fait aujourd'hui du Venezuela le pays le plus riche de l'Amérique du Sud. **Cultures vivrières** (86) : maïs 1 300 000 t — riz 475 000 t — manioc — haricots — bananes 989 000 t. **Cultures commerciales** (milliers de t, 86) : sucre de canne 577 — cacao 12 — café 69 — fibres de coton 34. **Élevage** extensif dans les « Llanos » : 12,3 millions de bovins. **Ressources minérales** (millions de t, 86) : pétrole 93,5 (8ᵉ prod. mond.) — raffinage 61 — gaz naturel 19 milliards de m³ — fer 10,7 *(Rio Caroni,* 10ᵉ prod. mond.) — charbon — manganèse — nickel — or — diamants. **Industries** (86) : un gros effort est entrepris. Acier *(Matanzas)* 3 438 000 t — aluminium 423 300 t — pétrochimie. **Exportations** (85) : 92 millions de bolivars — produits pétroliers (97 %) — denrées tropicales — minerais. **Importations** : 56,7 millions de bolivars — machines — produits manufacturés — produits alimentaires.

COLOMBIE

Republica de Colombia ; 1 138 914 km² ; 29 900 000 hab. (est. 87). Capitale : *Bogota (est. 86) 5 000 000 d'hab.* Monnaie : *peso colombien.*

Villes (milliers d'hab., rec. 85) : Medellin 1 498 — Cali 1 350 — Barranquilla 890 — Cartagena 531 — Cucuta 379 — Bucaramanga 352 — Manizales 299 — Ibague 292 — Pereira 288 — Pasto 244 — Santa Marta 218.

ÉCONOMIE : dans les régions basses, humides et chaudes du littoral Pacifique : cultures tropicales. Les plantations de café (2ᵉ prod. mond.) qui assurent l'essentiel des ressources prospèrent sur les pentes et les plateaux. L'exploitation du pétrole et du fer a permis un début d'industrialisation. **Agriculture** (milliers de t, 86) : café 706 — cacao 46 — sucre de canne 1 277 — fibres de coton 94 — bananes 1 200 — riz 1 758 — maïs 903 — manioc — tabac. **Élevage** (86) : 20,5 millions de bovins. **Mines et industries** (millions de t, 86) : pétrole 18 — gaz 4 milliards de m³ (84) — fer 0,18 — charbon 10,7 *(Cali)* — émeraudes — or 39 789 kg — platine (4ᵉ prod. mond.) — argent — acier 0,5 *(Paz del Rio).* Électricité : 20 milliards de Kwh. **Tourisme.**

ÉQUATEUR

Republica del Ecuador ; 283 561 km² ; 10 000 000 d'hab. (est. 87). Capitale : *Quito (est. 87) 1 100 000 hab.* Monnaie : *sucre.*

Villes (milliers d'hab., est. 86) : Guayaquil 1 509 — Cuenca 193 — Portoviejo 134.

ÉCONOMIE : cultures commerciales tropicales sur la côte, agriculture traditionnelle dans les bassins intérieurs. **Production** (milliers de t, 86) : café 130 — cacao 100 — bananes 1 705 — oranges 350 — sucre de canne — maïs — riz — caoutchouc de cueillette — coton. **Élevage :** lamas — moutons. **Forêt :** bois précieux (balsa). **Pêche :** 901 100 t en 86. **Mines** (86) : pétrole 14 millions de t — gaz naturel — or — argent.

PÉROU

Republica del Perú ; 1 285 216 km² ; 20 700 000 hab. (est. 87). Capitale : Lima (est. 86) 6 000 000 d'hab. Monnaie : inti (= 100 centavos).

Villes (milliers d'hab., 85) : Callao 515 — Arequipa 532 — Trujillo 439 — Chiclayo 348.

ÉCONOMIE : cultures tropicales des oasis du littoral, polyculture tempérée des plateaux, pêche (5e rang mond. 5,2 millions de t en 86) et ressources minières diversifiées et abondantes assurent une prospérité à une minorité. **Agriculture** (milliers de t, 86) : maïs 864 — riz 745 — sucre de canne 620 — fibres de coton 87 — café 97 — blé 96 — orge 108 — vin — élevage (moutons). **Ressources minérales et industries** (milliers de t, 86) : fer (métal contenu) 3 200 — pétrole 8 857 — argent 1,92 (2e prod. mond.) — cuivre 397,4 — zinc 597,6 — plomb 194,4 — guano phosphatique — antimoine 194 t — or 5 766 kg — acier *(Chimbote)* 411 000 t (85) — farine d'anchois 112 200 t (85) — alpaga — ind. textiles — capacité de raffinage 8,8 millions de t.

Exportations (86) 2 467 millions de dollars — cuivre — zinc — plomb — pétrole — argent — farine d'anchois. **Importations** : 2 160 millions de dollars — prod. alimentaires — machines — prod. chimiques.

BOLIVIE

Republica de Bolivia ; 1 098 581 km² ; 6 500 000 hab. (est. 87). Capitale : siège du gouvernement : La Paz (est. 87) 1 000 000 d'hab. ; capitale légale, siège du pouvoir judiciaire : Sucre 107 000 hab. Monnaie : peso bolivien.

Villes (milliers d'hab., 85) : Santa Cruz 442 — Cochabamba 317 — Oruro 178.

ÉCONOMIE : les 3/4 de la population occupent le 1/10 de la superficie des hauts plateaux entre le lac Titicaca au nord, Potosi au sud et Cochabamba à l'est, où l'activité est à la fois agricole et minière : l'étain (4e prod. mond.) assure l'essentiel des ressources. La forêt fournit des bois précieux (balsa) et des essences à usage médicinal (coca).

Production (milliers de t, 86) : maïs 457 — riz 137 — café 19 — pommes de terre 697 — sucre de canne 1 850. **Élevage** (millions de têtes, 86) : bovins 6, ovins 7,5, porcins 11. **Ressources minérales** (milliers de t, 86) : étain 10,5 — antimoine 8,9 — zinc 38,1 — argent 95,1 t — or — plomb — wolfram — pétrole 880 — gaz naturel 2,6 milliards de m³ (85).

Exportations : étain — minerais divers — pétrole — gaz naturel — sucre — café.

BRÉSIL

Republica Federativa do Brasil ; 8 511 965 km² ; 141 500 000 hab. (est. 87) (non compris Indiens de la jungle, estimés à 100 000). Capitale : Brasilia 450 000 hab. (est. 86), aggl. 1 700 000 hab. Monnaie : cruzado.

Divisions administratives : 23 États, 3 territoires et 1 district fédéral. **Villes** (milliers d'hab., 85) : São Paulo 10 099 (aggl. 15 280) — Rio de Janeiro 5 615 — Belo Horizonte 2 122 — Salvador 1 811 — Fortaleza 1 588 — Recife 1 290 — Porto Alegre 1 275 — Curitiba 1 285 — Belem 1 120 — Goiania 930 — Manaus 835 — Saã Luis 565 — Natal 515 — Maceïo 490 — João Pesson 400.

ÉCONOMIE : premier producteur mondial de café (20 % de la prod. mond.). Le Brésil s'efforce de diversifier ses cultures pour lutter contre les crises de surproduction en même temps qu'il accroît les possibilités énergétiques (hydro-électricité, pétrole) qui doivent accélérer le développement industriel amorcé au lendemain de la guerre.

Agriculture (millions de t, 86) : **cultures de subsistance** : maïs 20,5 — manioc 23 (85) — haricots — riz 10,4 ; **cultures commerciales** : café 1 — sucre de canne 8,5 (1er prod. mond.) — blé 5,2 — cacao 0,4 (2e prod. mond.) — fibres de coton 0,7 — tabac 0,4 — agrumes 14 — bananes 0,3 (1er prod. mond.) — sisal 0,3 — soja 13,2. **Élevage** (millions de têtes, 86) : bovins 133 — moutons 19 — porcs 30. **Mines** (millions de t, 86) : fer (métal contenu) 89,8 — houille 7,2 *(Santa Catarina)* — pétrole 29,5 — raffinage 66 — bauxite 6,4 — amiante — chrome — étain 25 100 t — nickel — manganèse 0,9 — or 24 124 kg — diamants — tungstène. **Électricité** (85) 192,9 milliards de kWh (92 % hydr., avec d'énormes possibilités d'équipement dont certains en voie d'achèvement, *Tres Maria — Furnas*).

39a Pays du Rio de la Plata, Sud Brésil · 1:15 000 000

ARGENTINE
(Carte de gauche)

Provinces:

1 Buenos Aires	14 Neuquén
2 Catamarca	15 Río Negro
3 Córdoba	16 Salta
4 Corrientes	17 San Juan
5 Chaco	18 San Luis
6 Chubut	19 Santa Cruz
7 Entre Ríos	20 Santa Fé
8 Formosa	21 Santiago
9 Jujuy	del Estero
10 La Pampa	22 Tucumán
11 La Rioja	23 Federal Capital
12 Mendoza	24 Terr. Nac. de la
13 Misiones	Tierra del Fuego

BRÉSIL (suite)

Industries (86) : acier 21,3 millions de t *(Volta Redonda)* — métallurgie différenciée *(São Paulo)* — automobiles 493 600 de tourisme et 599 000 utilitaires — aluminium 750 000 t — début de la métallurgie des métaux non ferreux — coton — ind. chimique et pétrochimique — textiles synthétiques. **Communications** (84) : voies ferrées 28 942 km — routes 1 577 895 km — véhicules à moteurs (84) 12 millions — flotte de commerce (86) 5,1 millions de tonneaux dont 40 % de pétroliers. **Exportations** (85) : 25,6 milliards de dollars — café — coton — fer — cacao — maïs. **Importations** : 13,2 milliards de dollars — machines et véhicules — matières premières — produits alimentaires — pétrole.

PARAGUAY

Republica del Paraguay ; 406 752 km² ; 4 300 000 hab. (est. 87). Capitale Asuncion 600 000 hab. (est. 86). Monnaie : *guarani.*

Divisions administratives : 19 départements. **Villes** (milliers d'hab. 82) : Caaguazu 74 — Coronel Oviedo 68 — Concepcion 63 — Encarnacion 51 — Villarrica 42.

ÉCONOMIE : une partie de la population vit dans la forêt, d'une économie primitive. L'agriculture reste la principale ressource du pays en attendant l'exploitation plus complète des ressources hydrauliques. **Agriculture** (milliers de t, 86) : maïs 469 — manioc 2 200 (85) — haricots — riz 70 (85) — graines de coton 190 — tabac 18 — sucre de canne — soja 600 — café 15 — oranges 341 — maté — quebracho. **Élevage** : 6,4 millions de bovins (85) — peaux et viande.

Industries : peu de ressources minérales, mais industries alimentaires et surtout immenses possibilités d'aménagement (en cours) de centrales hydro-électriques sur le Parana.

Communications (83) : voies ferrées 441 km — routes 11 320 km.

URUGUAY

Republica oriental del Uruguay ; 176 215 km² ; 3 100 000 hab. (est. 87). Capitale : Montevideo (est. 86) 1 300 000 hab. Monnaie : *nouveau peso.*

Divisions administratives : 19 départements. **Villes** (milliers d'hab., est. 80) : Salto 75 — Paysandu 65 — Las Piedras 55.

ÉCONOMIE : pastorale en voie d'industrialisation : les 3/4 du sol occupés par de riches pâturages ; la plaine côtière (7 % du sol) est un grenier à céréales. **Agriculture** (milliers de t, 86) : blé 350 — maïs 108 — lin — avoine — tournesol — arachides. **Élevage** (millions de têtes, 86) : bovins 10,6 — moutons 20,6 (85) — laine 92 100 t — viande 398 000 t. **Ressources minérales** : marbre, granite, pétrole, fer, uranium. **Industries** liées à l'élevage (conserves de viande — peaux — cuir). **Communications** : voies ferrées 3 245 km — routes (84) 49 813 km. **Exportations** (85) : 855 millions de dollars — viande — laine — cuir — textiles. **Importations** (85) : 604 millions de dollars — pétrole — matières premières — matériaux de construction.

ARGENTINE

Republica Argentina : 2 776 889 km² ; 31 500 000 hab. (est. 87). Capitale : Buenos Aires 2 923 000 hab. (est. 86). Monnaie : *austral.*

Divisions administratives : 22 provinces et un district fédéral.

Villes (milliers d'hab., 82) : Cordoba 982 — Rosario 954 — Mendoza 596 — La Plata 560 (80) — Tucuman 496 — Mar del Plata 407 (80).

ÉCONOMIE : avec une organisation agricole remarquable, l'Argentine est l'un des grands exportateurs de céréales. Des ressources énergétiques suffisantes et des réserves minérales importantes et variées assurent à l'industrie une part croissante dans l'économie du pays qui sort difficilement de la crise (inflation de plus de 600 % en 1984).

ARGENTINE (suite)

Agriculture : les terres cultivées occupent 13 % du territoire, les prairies 41 %. **Production** (millions de t, 86) : blé 8,9 — maïs 12,4 — avoine 0,5 — orge 0,2 — sorgho 4,2 — seigle 0,1 — soja 7,3 — sucre de canne 1,1 *(Tucuman)* — vin 20,5 millions d'hl *(Mendoza)* — fruits (dans vallées irriguées du piémont andin) — fibres de coton 109 000 t *(Chaco)* — arachides 286 000 t. **Élevage** (millions de têtes, 86) : bovins 54 *(Pampa)* — moutons 29 *(Patagonie)* — porcs — laine 138 000 t — viande 3,7 millions de tonnes (4ᵉ rang mondial). **Mines** : (milliers de t, 86) : pétrole *(Comodoro Rivadavia)* 22 590 — plomb 28,6 — zinc 38,9 — uranium 180 t — soufre — soude — gaz naturel 10,1 milliards de m³. **Électricité** (86) 46 milliards de kWh. **Industries** (millions de t, 86) : le manque de charbon entrave la sidérurgie — acier 3,2 — ciment 4,7 — industries alimentaires prospères — industries chimiques — textiles. **Communications** (85) : voies ferrées 34 336 km — routes 212 305 km. **Exportations** (85) : 8 522 milliards de dollars — céréales — viande — laine — fruits et légumes — lin. **Importations** : 3 845 milliards de dollars — machines et véhicules — prod. chimiques et pharmaceutiques — fer et métaux — carburants.

CHILI

Republica de Chile ; 756 945 km² ; 12 400 000 hab. (est. 87). Capitale : *Santiago 3 900 000 hab. (86, aggl.).* Monnaie : *peso.*

Divisions administratives : 13 régions et des îles dans le Pacifique : San Ambrosio, San Felix, Juan Fernandez, Sala-y-Gomez, île de Pâques.
Villes (milliers d'hab., 85) : Viña del Mar 316 — Valparaiso 267 — Talcahuano 220 — Concepcion 217 — Antofagasta 175 — Temuco 171.
ÉCONOMIE : désert aride au Nord, désert glacé au Sud, le Chili n'est peuplé qu'au centre où sur le 1/7 du sol vivent les 3/5 de la population. Les productions agricoles sont variées mais insuffisantes et c'est l'exploitation minière qui assure les plus gros revenus. **Agriculture** (milliers de t, 86) : blé 1 626 — maïs 721 — p. de terre 732 — fruits et légumes — vin 6,5 millions d'hl — fourrages (luzerne en particulier). **Élevage** (millions de tête, 86) : bovins 3,5 — moutons 5,8 (85). **Pêche** (85) : 557 600 t. **Mines** (millions de t, 86) : houille 1,34 — pétrole 1,7 — fer (métal contenu) 3,8 — cuivre 1,4 (2ᵉ prod. mond. : Chuquicamata, Potrerillos, El Teniente) — gaz naturel 4,3 milliards de m³ — nitrates *(Atacama)* — or 17 938 kg — argent. **Électricité** (86) 14,7 milliards de kWh. **Industries** (86) : acier 705 000 t. Ind. textiles. **Communications** (85) : voies ferrées 8 500 km — routes 79 010 km.

TRINITÉ et TOBAGO

Trinidad and Tobago ; 5 128 km² ; 1 300 000 hab. (est. 87) ; république, État membre du Commonwealth. Capitale : *Port of Spain (86) aggl. 350 000 hab.* Monnaie : *dollar de Trinité et Tobago.*

Économie : à une économie agricole conditionnée par les incertitudes du climat se superposent des structures industrielles nées de l'exploitation du pétrole. **Agriculture** (milliers de t, 85) : canne à sucre 1 002 — cacao — café — coprah. **Produits pétroliers** (millions de t, 86) : 8,5 — capacité raffinage 19 — gisement d'asphalte *(Pitch, Lake)* — gaz naturel 2,5 milliards de m³ (86). **Exportations** : pétrole brut et raffiné — sucre. **Importations** : prod. alimentaires.

SURINAM (ex-Guyane néerlandaise)

Republiek Suriname ; 163 265 km² ; 400 000 hab. (est. 87) ; république depuis juillet 1975. Capitale : *Paramaribo (aggl. 86) 200 000 hab.* Monnaie : *florin de Surinam.*
Économie : agriculture prospère sur 400 km² ; forêts à l'intérieur — granite — exploitation de bauxite. **Agriculture** : sucre de canne — cacao — café — riz — maïs — banane — rhum — fruits. **Mines** (millions de t, 86) : bauxite 3,7 (6ᵉ prod. mond.) transformée sur place en alumine 1,4. **Exportations** : bauxite et alumine — bois — riz — fruits.

TERRITOIRES NON SOUVERAINS

Territoires britanniques

FALKLAND (îles)
Falkland Island and dependencies (ou îles Malouines) ; 12 173 km² ; 2 100 hab. (86) ; colonie britannique. Capitale : *Stanley (est. 80) 900 hab.* Monnaie : *livre sterling.* Les dépendances : Shetland du Sud et Orcades du Sud, forment une colonie séparée intitulée « British Antarctic Territory » 3 755 km² ; 30 hab.
Économie : élevage des moutons 6 700 têtes, en 86 — pêche — chasse au phoque et à la baleine. **Exportations** : laine — huile de phoque.

OCÉANIE

On groupe sous le terme « d'Océanie » des terres qui parsèment le Pacifique et ne constituent pas, à proprement parler, un continent. Toutes les îles du Pacifique ne sont pas comprises dans ce qu'il est convenu d'appeler Océanie : les îles de la Sonde (en dehors de l'Irian) et les Philippines sont rattachées à l'Asie, les îles Hawaii font administrativement partie du continent américain. Une seule terre mériterait le titre de continent : l'Australie, presque aussi grande que l'Europe. Ces terres, grandes ou petites, ne sont ni physiquement semblables ni économiquement solidaires. Au total 8 511 000 km², peuplés de moins de 25 millions d'habitants (87) soit une densité de 2,9 hab./km², la plus faible du monde.

DIVISIONS : mis à part l'Australie et la Nouvelle-Zélande, dont la population est en majorité européenne, on peut distinguer :

● **LA POLYNÉSIE** qui comprend les îles les plus à l'Est, entre 30° de latitude Nord et 30° de latitude Sud : Marquises, Touamotou, Gambier, Iles de la Société, Samoa, Cook, Sporades, Phœnix, Ellice, Tonga. Ces îles, qui couvrent au total 35 000 km², sont habitées par des peuples de race jaune.

● **LA MÉLANÉSIE**, ce sont des îles situées au Nord de l'Australie et à l'Est de l'Indonésie. Les principaux groupes sont : Nouvelle-Guinée, Bismarck, Salomon, Fidji, Nouvelle-Calédonie, Vanuatu (ex-Nouvelles-Hébrides). Elles sont surtout peuplées de Noirs.

● **LA MICRONÉSIE** qui comprend les Mariannes, les Palau, les îles Carolines, les Marshall et les îles Kiribati (ex-Gilbert). Environ 1 500 îlots dont les habitants sont de race et de civilisation polynésiennes.

Parmi ces archipels, certains (ceux qui sont composés des îles les plus vastes) sont volcaniques et montagneux et demeurent encore le siège de séismes et d'éruptions. La plupart des îlots sont d'origine volcanique et résultent d'épanchements sur un socle plus ou moins immergé. D'autres, moins nombreux, sont des îlots coralliens ou « atolls ».

Climat : en majorité situés entre les Tropiques, les archipels océaniens ont un climat chaud mais modéré par l'action de la mer. Les pluies sont abondantes, surtout sur les côtes orientales (alizés). Les côtes occidentales sont plus sèches.

Peuplement : les Mélanésiens noirs et les Polynésiens, de teint plus clair ou cuivré, sont environ 2 500 000. Les Blancs sont peu nombreux.

Australie et Nouvelle-Zélande sont des terres fort différentes l'une de l'autre, mais qui ont en commun de se distinguer du reste de l'Océanie par la rapidité de l'industrialisation et le très haut niveau de vie des habitants d'origine européenne.

AUSTRALIE. Vaste comme 14 fois la France (7,7 millions de km²), peuplée seulement de 16,2 millions d'habitants (est. 87), l'Australie (qui signifie « Sud ») est un plateau massif d'une altitude moyenne, inférieure à 400 m. Formé de roches cristallines, le vieux socle porte quelques médiocres alignements et n'est relevé que vers l'Est où la Cordillère australienne borde sur 3 000 km la côte Pacifique et culmine à 2 235 m au Mt Kosciusko. La côte massive s'étend sur 19 600 km, bordée à l'Est sur presque 2 000 km par la « Grande Barrière », récifs coralliens qui interdisent l'approche du continent. Le climat est sec et chaud à l'Ouest et au Centre dont les immenses champs de dunes et de cailloux rappellent le Sahara. Au Nord et Nord-Est, pluies tropicales d'été (novembre à mars). Au Sud-Ouest et Sud-Est pluies de saison froide (juin à septembre). Seule la côte orientale reçoit les pluies toute l'année. Les cours d'eau sont des torrents ou des oueds : seul le Murray (1 800 km) mériterait le nom de fleuve mais son débit est inférieur à celui de la Seine et il n'est pas navigable.

Les indigènes, refoulés par les colons européens, ne sont guère plus de 150 000.

NOUVELLE-ZÉLANDE. Situé à 2 000 km à l'Est de l'Australie, l'archipel est formé de deux îles principales, étendues sur 270 000 km² dont la majeure partie est couverte de montagnes volcaniques. Les côtes sont très découpées, surtout au Sud, et certains fjords sont comparables à ceux de la Norvège. Située dans la zone tempérée (34° à 47° sud) ; les vents d'Ouest apportent à la Nouvelle-Zélande des pluies abondantes : de belles forêts couvrent une partie des îles. Les indigènes, les Maoris, ne sont plus que 290 000 environ.

OCÉANIE/AUSTRALIE

FLEUVES LES PLUS LONGS

	Longueur en km
Murray *[Australie]*	1 950
Darling *[affluent du Murray]* ...	1 900
Murrumbidgee *[affl. du Murray]*	1 610
Waikato *[Nouv.-Zél.-nord]*	360

LACS LES PLUS VASTES

	Sup. km²	Prof. m
Eyre *[Australie]*	8 800	20
Torrens *[Australie]*	5 800	—
Taupo *[Nouv.-Zél.-nord]* ...	606	162
Te Anau *[Nouv.-Zél.-sud]* ..	552	276

MONTAGNES LES PLUS ÉLEVÉES (en m)

Carstensz *[Nlle-Guinée-Irian]*	5 030
Mauna Kea *[Hawaii]*	4 208
Mont Cook *[Alpes néo-zélandaises]*	3 764
Balbi *[Bougainville-Is Salomon]* ..	3 111
Orohena *[Tahiti]*	2 237
Kosciusko *[Alpes australiennes]*	2 235

IMPORTANTS VOLCANS (altitude en m)

Mauna Loa *[Hawaii]*	4 168
Ruapehu *[Nouv.-Zél.-nord]*	2 796

CHUTE D'EAU (hauteur en m)

Sutherland *[Nouv.-Zél.-sud]*	581

ILES LES PLUS ÉTENDUES (sup. en km²)

Nouvelle-Guinée	785 000
Nouv.-Zél. Sud - I. de Jade ...	150 500
Nouv.-Zél. Nord - I. Fumante	114 000
Hawaii *[Is Hawaii-O. Pacifique]*	10 100
Tasmanie *[Australie]*	67 000

GLACIER (superficie en km²)

Tasman *[Nouv.-Zél.-sud]*	138

DÉSERT (superficie en km²)

Australie centrale	1 500 000

Pays *(et page de la notice géographique)*	Superficie en km²	Population	Année	Densité hab./km²
Australie *(p. 174)*	7 686 848	16 200 000	est. 87	2,1
Canton et Enderbury *(p. 175)*	70	inhabité		
Christmas *(p. 175)*	135	3 018	est. 82	22,3
Cocos (ou Keeling) *(p. 175)*	14	569	est. 81	40,5
Cook (îles) *(p. 175)*	234	21 000	est. 86	89,7
Fidji *(p. 174)*	18 274	700 000	est. 87	38,3
Guam *(p. 175)*	549	110 000	est. 86	200,3
Kiribati (ex-Gilbert) *(p. 175)*	684	60 000	»	87,7
Nauru *(p. 174 bis)*	21	7 500	»	357,1
Niue *(p. 175)*	259	4 000	»	15,4
Norfolk *(p. 175)*	34	1 800	est. 81	52,9
Nouvelle-Calédonie *(p. 175)*	19 058	150 000	est. 86	7,9
Nouvelle-Zélande *(p. 174 bis)*	268 676	3 300 000	est. 87	12,3
Pacifique (îles du) *(p. 175)*	1 779	150 000	est. 86	84,3
Papouasie - Nouvelle-Guinée *(p. 175)*	461 691	3 300 000	»	7,1
Pitcairn *(p. 175)*	5	61	est. 83	12,2
Polynésie française *(p. 175)*	4 000	180 000	est. 86	45
Salomon *(p. 175)*	28 446	280 000	»	9,8
Samoa occidentales *(p. 174 bis)*	2 842	165 000	»	58,1
Samoa (États-Unis) *(p. 175)*	195	33 000	»	169,2
Tokelau *(p. 175)*	10	1 800	est. 85	180
Tonga *(p. 174)*	699	110 000	est. 86	157,4
Tuvalu (ex-Ellice) *(p. 175)*	26	8 800	»	338,5
Vanuatu (ex-Nlles Hébrides) *(p. 175)*	14 763	134 000	»	9,1
Wallis et Futuna *(p. 175)*	230	11 943	»	51,9

carte 41

NOUVELLE-ZÉLANDE

New Zealand ; 268 676 km² ; 2 300 000 hab. (est. 87) ;
État membre du Commonwealth. Capitale : *Wellington 318 000 hab. (aggl., 86).* Monnaie : *dollar néo-zélandais.*

Villes (rec. 86) (milliers d'hab.) : Auckland 889 (aggl.) — Christchurch 333 — Hamilton 167 — Dunedin (85) 115.
Langue : anglais.
ÉCONOMIE : entièrement fondée sur un élevage hautement productif (beurre — fromage — laine — viande). Les surfaces s'adonnant à l'élevage représentent 90 % des terres utilisables. **Élevage** (millions de têtes, 86) : bovins 8,4 — moutons 71,6 — porcs. **Produits de l'élevage** (milliers de t, 86) : lait 8 millions de t — beurre 313 — fromage 133 — laine 350 — viande 1 133. **Agriculture** (milliers de t, 86) : blé 424 — avoine 44 — orge 771 — pommes de terre 290 (85). **Mines et industries** (milliers de t, 86) : houille 2 183 (85) — lignite 228 — pétrole 1 564 — or — argent — tungstène — filés de laine 23,2 — ciment 896 — industries alimentaires (laiteries, fromageries) — gros effort pour l'implantation d'une industrie lourde. **Électricité** (86) : 27,8 milliards de kWh en majorité hydr. **Communications** (84) : voies ferrées 4 332 km — routes 92 909 km. **Exportations** (86) : 11,2 milliards de dol. néo-zélandais — beurre — fromage — laine — viande. **Importations** (86) : 11,6 milliards de dol. néo-zélandais — produits manufacturés — machines et véhicules — tissus.

SAMOA OCCIDENTALES

Samoa I Sisifo ; 2 842 km² ; 165 000 hab. (est. 86) ;
monarchie, membre du Commonwealth. Capitale : *Apia 35 000 hab. (est. 83).* Monnaie : *tala.*
ÉCONOMIE : essentiellement agricole (noix de coco 200 000 t (84) exportée sous forme de coprah — cacao — bananes). Pas de mines ; industries peu développées.

NAURU

Naoeru ; État indépendant depuis 1968 ; 21 km² ; 7 500 hab. (est. 86) ; république associée du Commonwealth. Capitale : *Makwa 4 000 hab.* Monnaie : *dollar australien.*

Ressources : phosphates 2 millions de t env. en 86 (représentant 100 % des export.).

Commonwealth of Australia : 7 686 848 km² ; 16 200 000 hab. (est. 87) ; État fédéral, membre du Commonwealth, présidé par un gouverneur général. District fédéral : *Canberra 275 000 hab. (86).* Monnaie : *dollar australien.*

Divisions administratives : 6 États, 1 territoire et le district fédéral (superficie, population totale 84), villes milliers d'hab. [aggl. 85] :
AUSTRALIE OCCIDENTALE : 2 527 482 km², 1 382 600 hab. Capitale : Perth 97 (aggl. 1 001). Villes : Fremantle 24 — Kalgoorlie/Boulder 21 — Bunbury 15.
AUSTRALIE MÉRIDIONALE : 984 300 km², 1 353 000 hab. Capitale : Adelaïde 16 (aggl. 987).
NOUVELLE-GALLES DU SUD : 801 400 km², 5 405 100 hab. Capitale : Sydney (aggl. 3 392). Villes : Newcastle 423 — Wollongong 237 — Cessnock 35.
QUEENSLAND : 1 727 500 km², 2 505 100 hab. Capitale : Brisbane 699 (aggl. 1 157). Villes : Townsville 96 — Toowoomba 53 — Ipswich 52 — Rockhampton 45.
TASMANIE : 68 300 km², 437 300 hab. Capitale : Hobart (aggl. 178). Ville : Launceston 38 (59 avec aggl.).
VICTORIA : 227 600 km², 4 075 900 hab. Capitale : Melbourne 2 917 (aggl. 3 673). Villes : Geelong (aggl. 142) — Ballaral 58 — Bendigo 42.
TERRITOIRE DU NORD : 1 356 095 km², 138 900 hab. Capitale : Darwin 63,4.
ÉCONOMIE : bien que l'agriculture et l'élevage restent le fondement de l'économie, l'Australie s'industrialise rapidement. **Élevage** (millions de têtes, 86) : bovins 23,2 — moutons 155,2 (2e troupeau du monde, *mérinos*). **Produits de l'élevage** (millions de t, 86) : lait 6,2 — viande 2,6 — laine 0,8 (1er prod.).
Agriculture : les cultures n'occupent que 6 % du sol — (millions de t, 86) : blé 17,3 — orge 3,5 — avoine 1,5 — maïs 0,2 — p. de terre — sucre de canne 3,3 — vin 4 millions d'hl — fruits.
Mines : ressources énormes et rythme des découvertes très rapide (millions de t, 86) : houille 152,6 *(Newcastle)* — lignite 34,7 — pétrole 23,8, capacité de raffinage 33 — oxyde d'uranium — bauxite 32,4 (1er prod. mond.) — fer (métal contenu) 59 *(Yampi, Sound)* — plomb (2e prod. mond.) 0,5 — zinc 0,6 — cuivre 0,2 — argent 1 055 t — or 78 000 kg *(Kalgoorlie)* — étain 8 600 t — tungstène — antimoine — gaz naturel 13,4 milliards de m³. **Électricité** (86) 126,9 milliards de kWh (sans centrales nucléaires).
Industries (milliers de t, 86) : acier 6 691 *(Newcastle, Port-Kembla, Whyalla)* — aluminium 875 — raffinage de métaux — cuivre 177,6 — plomb 168,2 — zinc 305,7 — étain 1 700 t — constr. aut. 317 400 de tourisme et 27 400 utilitaires — machines agricoles — matériel lourd roulant — chimie.
Communications (85) : voies ferrées 39 251 km — routes 804 753 km — flotte (86) 2 368 000 tonneaux. **Exportations** (86) : 22 759 millions de dollars U.S. — laine — blé — viande — sucre — minerais. **Importations :** 25 889 millions de dollars U.S. — machines et véhicules — prod. pétroliers — prod. chimiques.

FIDJI

Fiji Islands, 18 274 km² ; 700 000 hab. (est. 87) ; 322 îles (Viti Levu et Vanua Levu) ; démocratie parlementaire, indépendant depuis 1970, membre du Commonwealth. Capitale : *Suva* (86) *80 000 hab.*
ÉCONOMIE : essentiellement agricole (canne à sucre, riz, coprah, noix de coco). Production de sucre : 3 042 000 t, 20 % des terres cultivées. Ressources minières modestes (or). Tourisme.

TONGA

Firendley Island, 699 km² ; 110 000 hab. (est. 86). Capitale : *Nukualofa 15 000 hab. (est. 86). Indépendant depuis 1970, membre du Commonwealth.* Monnaie : *Palanga.*

ÉCONOMIE : agriculture surtout (coprah, banane).

Nouveaux États

PAPOUASIE-NOUVELLE-GUINÉE : 461 691 km² ; 3 300 000 d'hab. (est. 86) ; démocratie parlementaire, État indépendant dep. 1975, membre du Commonwealth. Capitale : Port-Moresby (est. 86) 135 000 hab. Le pays comprend la partie Est de la Nouvelle-Guinée, l'archipel Bismarck, les îles Bougainville et Buka (du groupe des Salomon) et quelque 600 îlots. **Ressources** : patate douce — cacao — café — cocotiers — hévéas — or — cuivre — argent.

KIRIBATI (ex-Gilbert) : République, indépendant depuis juillet 1979, membre du Commonwealth (prés. : Ieremia Tabai dep. 1979) ; 684 km² ; 60 000 hab. (est. 86).

TUVALU (ex-Ellice) : État indépendant dep. 1975, membre du Commonwealth ; 26 km² ; 8 800 hab. (est. 86) ; comprennent en outre l'île Océan, les îles Phœnix, Line, Starbuck, Malden, Flint, Caroline, Vostock. **Ressources** : coprah — pêche — phosphates.

SALOMON : 28 446 km² ; 280 000 hab. (est. 86) ; démocratie parlementaire, indépendant dep. 1978 ; membre du Commonwealth ; les îles principales sont : Guadalcanal, Malaita, San Cristobal, Nlle-Georgie, Choiseul. Capitale : Honiara 12 000 hab. (est. 86). **Ressources** : pêche — noix de coco — coprah — bananes — bois.

VANUATU : République (1980), ex-Nouvelles-Hébrides, membre du Commonwealth (prés. George Sokomanu dep. 1980), 14 763 km² ; 134 000 hab. (est. 86). Capitale : Port Vila 35 000 hab. (est. 86). **Ressources** : igname — taro — noix de coco — café — manganèse — bois précieux.

TERRITOIRES NON SOUVERAINS

Territoires australiens

CHRISTMAS (dans l'océan Indien) ; 135 km² ; 3 018 hab. (82). **Ressources** : phosphates.

COCOS (ou KEELING) ; 14 km² ; 569 hab. (81).

NORFOLK : 34 km² ; 1 800 hab. (est. 81). Capitale : Kingston 1 000 hab. env. (est. 80). **Ressources** : bananes — citrons — légumes — tourisme.

Territoires des États-Unis

GUAM : 549 km² ; 110 000 hab. (est. 86). Capitale : Agana, grande base stratégique navale et aérienne. **Ressources** : maïs — patate douce — bananes — fruits — coprah.

ILES DU PACIFIQUE : Sont séparées en 4 entités politiques depuis juin 1986. Les îles ne sont plus sous tutelle des États-Unis mais y sont librement associées : Mariannes septentrionales, Palau, îles Marshall, États fédérés de Micronésie. Au total environ 2 000 îlots et atolls totalisant 150 000 hab. Capitale : Saipan. **Ressources** : coprah — pêche — phosphates.

SAMOA : 195 km² ; 33 000 hab. (est. 86). **Ressources** : coprah — taro — bananes.

Territoires français

NOUVELLE-CALÉDONIE : 19 058 km² ; 150 000 hab. (est. 86) ; territoire d'outre-mer. Capitale : Nouméa (est. 86) 75 000 hab. **Économie** : les ressources proviennent des mines ; les cultures vivrières (manioc — patates — igname) et l'élevage sont insuffisants. Les plantations (café, coprah) produisent des excédents exportables. **Mines** (milliers de t, 86) : nickel 71 (4e prod. mond.) — fer — manganèse — cobalt — phosphates.

POLYNÉSIE FRANÇAISE : 4 000 km² ; 180 000 hab. (est. 86) ; territoire d'outre-mer : 5 archipels : Société, Tuamotu, Gambier, Marquises et îles Australes. L'île la plus importante des 125 îlots répartis sur 4 millions de km² d'océan est **TAHITI** (1 042 km²). Capitale : Papeete (86) 60 000 hab. **Économie** : cultures vivrières insuffisantes et plantations peu développées : coprah 14 000 t (86).

WALLIS ET FUTUNA : 230 km² ; 11 943 hab. (rec. 82) ; territoire d'outre-mer.

Territoires de la Nouvelle-Zélande

COOK : 234 km² ; 21 000 hab. (est. 86) ; **Ressources** : bananes — agrumes — noix de coco.

NIUE : 259 km² ; 4 000 hab. (est. 86).

TOKELAU : Tokelau Islands ; 10 km² ; 1 800 hab. (est. 85).

Territoire britannique

PITCAIRN : 5 km² ; 61 hab. (est. 83) ; colonie ; les îles inhabitées de Ducie et Oeno y sont rattachées.

Condominium anglo-américain

CANTON et ENDERBURY : 70 km² ; inhabitée depuis 1968.

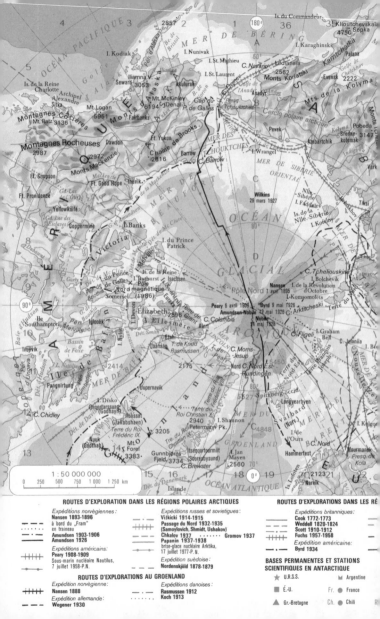

ROUTES D'EXPLORATION DANS LES RÉGIONS POLAIRES ARCTIQUES

Expéditions norvégiennes :
Nansen 1893-1896
à bord du „Fram"
en traineau
Amundsen 1903-1906
Amundsen 1926

Expéditions américaines :
Peary 1908-1909
Sous-marin nucléaire Nautilus,
7 juillet 1958-P.N.

Expéditions russes et soviétiques :
Vilkicki 1914-1915
Passage du Nord 1932-1935
(Samoylovich, Shmidt, Ushakov)
Chkalov 1937   Gromev 1937
Papanin 1937-1938
brise-glace nucléaire Arktika,
17 juillet 1977-P.N.

Expédition suédoise :
Nordenskjöld 1878-1879

ROUTES D'EXPLORATIONS AU GROENLAND

Expédition norvègienne :
Nansen 1888

Expédition allemande :
Wegener 1930

Expéditions danoises :
Rasmussen 1912
Koch 1913

ROUTES D'EXPLORATIONS DANS LES RÉ...

Expéditions britanniques :
Cook 1772-1773
Weddell 1820-1824
Scott 1910-1912
Fuchs 1957-1958

Expédition américaine :
Byrd 1934

BASES PERMANENTES ET STATIONS
SCIENTIFIQUES EN ANTARCTIQUE

★ U.R.S.S.   ⋈ Argentine
■ É.-U.   Fr. France
▲ Gr.-Bretagne   Ch. ● Chili   R...

RÉGIONS ARCTIQUES

L'exploration des régions arctiques, terres avoisinant le pôle Nord et l'océan Arctique, a commencé dès le XVIe s. avec la recherche des passages contournant l'Asie par le Nord-Est et l'Amérique par le Nord-Ouest ; mais ce n'est qu'en 1879 que *Nordenskjold* ouvre le « passage du Nord-Est » allant de la mer de Barents au détroit de Béring. En 1906, *Amundsen* force le passage du Nord-Ouest et démontre qu'il est impraticable et il faudra attendre le XXe s. pour que les Russes aménagent des chaînes de radars et des aéroports et « ouvrent » la route au moyen de brise-glace. A la fin du XIXe, commence l'exploration de ces régions, *Parry* atteint la latitude 82°43' en 1827 et *Nansen* 86°12' en 1895. L'Américain *Peary* parvient en 1909 au Pôle, dont le survol sera effectué par *Byrd* en 1926.

Le Groenland (voir notice p. 142), probablement atteint par le navigateur grec Pythéas en 700 avant J.-C., fut redécouvert par les Vikings. En 983, Erik le Rouge y aborde et bientôt la colonie viking compte 300 villages qui disparurent au XVe s. A la fin du XVIIIe, les explorations reprirent et de 1926 à 1936 *J.-B. Charcot* fit chaque année des croisières océanographiques dans la mer du Groenland. A partir de 1936, les Expéditions polaires françaises dirigées par *P.-E. Victor* contribuèrent à la connaissance du Groenland. En 1958, le sous-marin américain *Nautilus* est passé sous la banquise du Pacifique à l'Atlantique. Actuellement, les routes aériennes les plus courtes entre l'Europe et l'Asie ou l'Amérique du Nord passent par le pôle Nord.

Les Russes, les Américains, les Canadiens et plusieurs pays européens font preuve d'une grande activité dans les régions arctiques. L'exploitation des ressources minérales qui sont considérables a été entreprise et les techniques les plus modernes, accompagnant un important peuplement blanc, s'installent dans un espace où ne vivaient que quelques groupes isolés. S'il est commode de fixer au cercle polaire la limite des terres continentales et insulaires arctiques, l'on s'accorde à reconnaître que la véritable limite est donnée par l'isotherme de + 10° au mois le plus chaud (juillet). Au centre, l'océan Glacial arctique est une mer intérieure 5 fois plus grande que la Méditerranée. Des terres l'enserrent : archipels du Nord Canada — Sibérie — Nord de l'Europe. Les terres arctiques constituent une immense plaine à la végétation rabougrie : la toundra où vit une faune très riche. Les montagnes sont de style alpin (Rocheuses). Le Groenland forme un monde à part : désert de glace dont l'épaisseur dépasse 3 000 m.

ANTARCTIQUE

Le continent antarctique — env. 13,8 millions de km² — est aussi vaste que l'Europe et les États-Unis réunis. Il est aujourd'hui, géographiquement, connu. L'altitude moyenne est de 2 263 m (en Asie 1 000 m) ; 99 % de la surface est constituée par une couche de glace épaisse de 2 000 à 2 500 mètres. C'est le plus vaste glacier du monde (85 % du total des glaces). La partie la plus élevée se trouve sur les bords de la mer de Ross : 4 600 m au *Mt Markham*, et 4 000 m au volcan *Erebus*. Le grand plateau central atteint des altitudes de 2 500 à 3 500 m. La chaîne de la Reine-Marie a une altitude moyenne de 4 300 m.

Le tracé des 16 800 km de côtes a été cartographié et a fait apparaître une vaste baie de 50 000 km² pénétrant sur plus de 300 km à l'intérieur du continent, sur la mer d'Amundsen. Par cette échancrure et par celle de la mer de Ross, dont on peut se demander si elles ne communiquent pas par un couloir dont le sous-sol rocheux se trouverait au niveau de la mer, s'écoulent les glaces de l'intérieur. Ces « ice shelves », plates-formes flottantes, ont plus de 700 000 km². Lorsqu'une fraction s'en détache, elle devient un « iceberg » : certains ont 300 km de long et on les rencontre à quelques centaines de km du cap de Bonne-Espérance, à une latitude voisine de celle d'Alger.

Explorations. La recherche du continent austral ne cessa de préoccuper navigateurs et géographes, héritiers de la conception des Grecs. Nous savons aujourd'hui que des cartes publiées en 1513, et dressées à l'aide de documents datant probablement de 500 avant J.-C., indiquaient une partie des côtes de l'Antarctique.

Au cours du XVIIIᵉ siècle, les Français *Bouvet de Lozier, Marion du Frêne, Crozet, Kerguelen*, et l'Anglais *Cook* explorent les mers australes et reconnaissent les îles subantarctiques. Au milieu du XIXᵉ siècle, les explorateurs abordent le continent : *Dumont d'Urville* baptise « Terre Adélie » la côte où il accoste ; *Wilkes* et *Ross* longent les côtes qui portent leur nom. Durant l'hiver 1911-1912, le Norvégien *Amundsen*, et, à un mois de distance, l'Anglais *Scott* qui mourra sur le chemin du retour, atteignent, par des voies différentes, le pôle Sud. En 1929, *Byrd* survole le pôle Sud, établit la base permanente de « Petite Amérique » et organise trois autres expéditions. En 1957-1958, onze pays participent à l'Année géophysique internationale. En 1959, le traité de Washington décide la non-militarisation du continent.

Intérêt de l'Antarctique. La valeur traditionnelle de l'Antarctique tient à la chasse à la baleine. Actuellement, la prospection géologique est à peine ébauchée (1 % du continent) et l'on a trouvé du charbon et divers minerais, dont l'uranium.

Un autre motif d'intérêt réside dans l'étude des phénomènes météorologiques et dans le domaine des hypothèses, l'on peut signaler l'extraordinaire source d'énergie qui, si elle était captée, résulterait des courants aériens, vents presque continus qui soufflent à 200 km/heure. L'énergie solaire, durant les mois d'été, plus forte qu'en n'importe quel point du monde. Enfin l'intérêt stratégique, dont on évite de parler, paraît évident et la maîtrise du passage de Drake pourrait, à l'avenir, se révéler aussi importante que celle de Suez ou Panama.

Le « partage » de l'Antarctique. Le découpage du continent en « secteurs » à partir du Pôle ne s'appuie sur aucune base légale et n'a pas été reconnu par les grandes puissances.

Certaines îles subantarctiques ont donné lieu à des affirmations de souveraineté :
● **BOUVET** (île) 59 km², inhabitée, déclarée poss. de la Norvège en 1930 et **Pierre 1ᵉʳ** (île) 249 km², inhabitée, placée sous souveraineté de la Norvège en 1931.
● **ORCADES DU SUD** 622 km² et **SHETLAND DU SUD** 92 km² forment le « British Antarctic Territory », colonie qui est rattachée aux Falkland.
● **TERRES AUSTRALES ET ANTARCTIQUES FRANÇAISES** groupent depuis août 1955 : les îles KERGUELEN 7 000 km², CROZET 360 km², SAINT-PAUL 7 km², NOUVELLE-AMSTERDAM 60 km².
● **TERRITOIRE DE HEARD ET ILES MAC DONALD,** possession australienne d'outre-mer 258 km².
● **MACQUARIE,** dépendance de la Tasmanie.
● **PRINCE ÉDOUARD et MARION,** poss. de la Républ. Sud-Africaine, depuis 1947.

INDEX DES NOMS

● On trouvera dans cet index, classés par ordre alphabétique, tous les noms géographiques qui figurent sur les cartes de cet atlas. Excepté les noms de localités, tout autre nom est suivi d'une abréviation qui précise sa nature géographique, par exemple : C. = cap ; I., Is. = île, îles ; M., Mt. = mont ; Rég. = région.

● Après chaque nom géographique viennent ensuite le numéro de la carte et le rectangle correspondant du réseau cartographique, indiqué par un chiffre et une lettre imprimés en rouge. – Pour les noms de localités le rectangle du réseau cartographique signifie le lieu où se trouve le cercle (la cote) indiquant la localité en question, exemple Marseille 10 E 6. Pour tous les autres noms le rectangle du réseau cartographique signifie le lieu où se trouve ledit nom (au cas des noms divisés les première et dernière lettres de ce nom), exemple Suède, État, 15 B-D 5,6.

● Pour identifier les homonymes (de la même nature géographique) on trouvera entre parenthèses les indications supplémentaires, exemple Augusta (Australie), 40 D 1 ; Augusta (É.-U. - Georgie), 35 E 4 ; Augusta (É.-U. - Maine), 35 C 6,7. Pour les rivières figure dans l'index uniquement le nom qui est situé le plus près de la source, exemple Labe (Elbe), R., 12 C 4, Elbe voir Labe.

● Exemples pour trouver les noms sur les cartes : Saint-Nazaire, 9 C 2, signifie que Saint-Nazaire est un nom de localité qui se trouve sur la carte n° 9 dans la bande de parallèles C et dans la bande de méridiens 2, c'est-à-dire dans le rectangle du réseau cartographique C2. Plymouth (Grande-Bretagne), 11 D 2 est le nom d'une localité en Grande-Bretagne lequel se trouve sur la carte n° 11 dans le rectangle du réseau cartographique D2. Par contre Plymouth (Montserrat) 36b A 2 est le nom d'une autre localité, située sur l'île Montserrat, qu'on trouvera sur la carte n° 36b dans le rectangle du réseau catrographique A2. Canada, État, 33 C 6-13 est le nom d'un État, placé sur la carte n° 33 dans les rectangles du réseau cartographique de C6 à 13.

ABREVIATIONS – Index et cartes

Aggl. = agglomération	Mgnes = montagnes
Arch. = archipel	Mts. = monts
B. = baie	P. = pic
Barr. = barrage	Parc nat. = parc national
C. = cap	Pass. = passage
Cl. = canal	Pén. = péninsule
D., dét., dt. = détroit	Pl. = plaine
D.a. = division administrative	Plat. = plateau
Dép., dépt. = département	Pr., Prov. = province
Dépr. = dépression	Presq. = presqu'île
Dés. = désert	Pt. = port
Est. = estuaire	Pte. = pointe
F., fl. = fleuve	R. = rivière
Ft. = fort	Rég. = région
G. = golfe	Rés. = réservoir
Gr., grd. = grand	S. = san
Gde = grande	St., Sta., Sto. = saint . . .
I., Is. = île, îles	Terr., territ. = territoire
L. = lac	V., Vol. = volcan
M., Mt. = mont, montagne (Mgne)	

●

Ang. = Angola, angolais	Chin. = Chine, chinois
Arg. = Argentine, argentin	Col. = Colombie, colombien
Austr. = Australie, australien	Dan. = Danemark, danois
Belg. = Belgique, belge	Équat. = Équateur, équatorien
Brés. = Brésil, brésilien	Esp. = Espagne, espagnol
Br., Brit., G.-B = Grande Bretagne, britannique	É.-U. = États-Unis d'Amérique, américain
Can. = Canada, canadien	Fr., franç. = France, français
Ch., Chil. = Chili, chilien	G. Éq. = Guinée équatoriale

Hond. = Honduras, hondurien
Ind. = Inde, indien
Indonés. = Indonésie, indonésien
It., Ital. = Italie, italien
Jam. = Jamaïque, jamaïquain
Jap. = Japon, japonais
Kir. = Kiribati, kiribatien
Mex. = Mexique, mexicain
Norv. = Norvège, norvégien
N.-Z. = Nouvelle-Zélande, néo-zélandais
O.N.U. = Organisation des Nations Unies
Pan. = Panama, panaméen
P.B. = Pays-Bas, néerlandais
Phil. = Philippines, philippin
Pol. = Pologne, polonais
Port. = Portugal, portugais
Rép. = République

R.A.É. = République arabe d'Égypte, égyptien
Rép. dem. d'A. = République démocratique
  d'Allemagne, allemande
R.f.d'Allem. = République fédérale d'Allemagne
Rép. Pop. Dém. de Corée = République
  populaire démocratique de Gorée
R.S.A. = République Sud-Africaine, sud-africain
R.S.F.S.R. = République Socialiste Fédérative
  Soviétique de Russie
R.S.S. = République Socialiste Soviétique
R.S.S.A. = République Socialiste Soviétique
  Autonome
U.R.S.S. = Union des Républiques Socialistes
  Soviétique = Union Soviétique
Vén. = Venezuela, vénézuélien
Viet. = Viet-Nam, vietnamien
Youg. = Yougoslavie, yougoslave

●

Tableaux et notices géographiques

● Les températures sont exprimées en degrés centigrades
● La population des villes principales est donnée en milliers d'habitants
● L'unité dans laquelle sont exprimés les chiffres des productions est précisée avant chaque série de renseignements : elle est valable pour toute la série

m = mètre
km = kilomètre
m^3 = mètre cube
kWh = kilowatt-heure
t = tonne
h. = heure
ha = hectare
min. = minute
sec. = seconde

E. = est
N. = nord
N.-E. = nord-est
N.-O. = nord-ouest
O. = ouest
Occ. = occidental
Or. = oriental
S. = sud
S.-E. = sud-est
S.-O. = sud-ouest

Barcelona-Puerto la Cruz, 38 A3
Barcelone voir Barcelona
Barcelonette, 10 D7
Barcelos, 38 C3
Barcoo, R., 40 C4
Bardaï, 28 B5
Barddhaman, 22a C2,3
Bardera, 28 D7
Bardi, 13a B3
Bardol, 10 E6
Bardoneechia, 10 D7
Bardshenorn, C., 15a B4
Bareilly, 22 B3,4
Barentin, 9 B4
Barents, Mer de 5 A8,9
Barfleur, 9 B3
Bari, 13 B4
Barinas, 38 B2,3
Bâris, 28 B6
Barisal, 22a C4
Barito, R., 23 D3
Barkley, Baie de 33a B1,2
Bar-le-Duc, 9 B6
Barlee, Lac 40 C1
Barletta, 13 B4
Barmer, 22 B3
Barnaoul, 16 D9,10
Barneville-Carteret, 9 B3
Barnouic, I., 6a A2
Barnstaple, 11 D2
Baro, 29 E8
Baro, R., 28 D6
Baroun Ourta, 24 B5
Barquisimeto, 38 A3
Barra, 38 D5
Barra do Garças, 38 D4
Barra do São Manuel, 38 C4
Barrancabermeja, 38 B2
Barranquilla, 38 A2
Barreiras, 38 D5
Barreiro, 11 G1
Barretos, 39a B4
Barrie, 33b
Barrington, Mont 40 D5
Barumun, R., 19b D1,2
Barwon, R., 40 C,D4
Barych, 18 B6
Basel (Bâle), 9 C7
Basilan, Ile 23 C4
Basilicata (2), D.a., 13 B4
Baskountchak, Lac 18 C6
Bas-Rhin, Dép. 9 B7
Bass, Détroit de 40 D4
Bassano, 34 A4
Bassano del Grappa, 13a A5
Bassari, 29 C6
Bassas da India, I., 30 D4
Basse Californie (Nord) (2), D.a., 36 B1
Basse Californie (Sud) (3), D.a., 36 B1
Bassein, 22 C5
Basse-Santa-Su, 29 B2
Basse Terre, 36b A,B2
Basseterre, 36b A2

Bassila, 29 C6
Bassin Aquitaine, Rég., 7 D3,4
Bassin Parisien, Rég., 7 B4-6
Bassorah, 21 C5
Bastia, 10a E8
Bastogne, 9 A6
Bata, 29 E8
Batabanó, Golfe de 36a A2
Bataisk, 18 C5
Batan, Iles 23 A4
Batang, 24 C3
Batangas, 23 B4
Bathurst (Australie), 40 D4
Bathurst (Canada), 35 B7
Bathurst (Australie), Ile, 40 B3
Bathurst (Canada), I., 33 A9,10
Bathurst Inlet, 33 B9
Batié, 29 C5
Batioumi, 18a A1
Batman, 21a B4
Batna, 28 A3
Baton Rouge, 35 E2
Batouri, 29 D9
Battambang, 22 C6
Batticaloa, 20a C3
Battle Harbour, 33 C14
Batu, Iles 23 D1
Batu Pahat, 19b D3
Baturaja, 23 D2
Batz, Ile de 9 B1
Baubau, 23 D4
Bauchi, 29 C8
Bauchi (2), D.a., 29 C8
Baud, 9 C3
Baume-les-Dames, 9 C7
Bauru, 39 A4
Bawean, Ile 23a A3
Bawku, 29 C5
Bayamo, 36a B5
Bayamón, 36b A1
Bayan Chongor, 24 B3,4
Bayburt, 21a A4
Bay City, 34 F7
Bayern (2), D.a., 12 C4
Bayeux, 9 B3
Bayonne, 10 E3
Bayram-Ali, 21 B8
Baza, 11 G3
Bazas, 10 D3
Bazdar, 21 D8,9
Béar, Cap 10 E5
Béarn, Rég., 7 E3
Beas, R., 22 A3
Beatrice, 34 C7
Beau-Bassin, 30a B3
Beaucaire, 10 E6
Beauce, Rég., 7 B,C4,5
Beauceville, 33b
Beauceville-Est, 35 B6,7
Beaufort, Mer de 31 B5-7
Beaufort West, 30 E3
Beaugency, 9 C4
Beauharnois, Centrale hydroélectrique de 32b
Beauharnois, Écluse de 32b
Beaujolais, Monts du 7 C,D6
Beaumont, 35 E,F2
Beaumont-sur-Oise, 9 B5
Beaune, 9,10 C6
Beauvais, 9 B5
Beaver, 34 B2
Beaver, R., 33 C9
Beawar, 22 B3

Bebedouro, 39a B4
Béchar, 28 A2
Beckley, 35 D4
Bédarieux, 10 E5
Beechey Point, 33 A5
Beersheba, 20b C1
Bègles, 10 D3
Begna, R., 15 C4
Behbehan, 21 C6
Beihai, 24 D4
Beian, 24 B6
Beijing (Pékin), (28), D.a., 24 C5
Beijing voir Pékin
Beipiao, 25 B2,3
Beira, 30 C4
Beitbridge, 30 D3,4
Beja, 11 G2
Beja (2), D.a., 11 G1
Béja, 28 A3
Bajaïa, 28 A3
Bejetsk, 17 C5
Békés (3), D.a., 14 B2
Békescsaba, 14 B2
Bela, 22 B2
Belcher, Is., 33 C11,12
Beled Weyne, 28 D7
Belém, 38 C5
Belfast, 11 C2
Belfort, 9 C7
Belfort, Dép. 9 C7
Belgaum, 22 C3
Belgique, État, 9 A5-7
Belgrade voir Beograd
Belice, R., 13 C3
Belitung, 23 D2
Belize, 36 C4
Belize, État, 36 C4
Belkovo, 18 C2
Bella Coola, 33a A1
Bellary, 22 C3
Bella Vista, 39a C2
Belle Fourche, 34 C6
Bellegarde-sur-Valserine, 10 C6,7
Belle Ile, 9 C2
Bellême, 9 B4
Belleville (Canada), 35 C5
Belleville (France), 10 C6
Bellevue, 34 B2
Belley, 10 D6
Bellingham, 34 B2
Bellingshausen, Mer de 42 F,G8-10
Bellinzona, 10 C8
Bello, 38 B2
Belluno, 13 A2,3
Belmopan, 36 C4
Belo, 30 C5
Belogorsk, 16 C19
Belogorsk (U.R.S.S. - R.S.F.S.R.), 24 A6,7
Belogorsk (U.R.S.S. - R.S.S.U.), 18a B2
Belo Horizonte, 39 A4
Belomorsko-Baltiyski kanal, Cl., 17 B4
Belopolie, 18 B3
Beltsy, 18 C2
Belyï Iar, 16 D10
Bembe, 30 B2
Bemidji, 35 B2
Benasque, 10 E4
Benavente, 11 F2
Bend, 34 C2
Bendaja, 29 D3
Bendel (3), D.a., 29 D7
Bender Beyla, 28 D7,8
Bendery, 18 C2

Bendigo, 40 D4
Benedito Leite, 38 C5
Benevento, 13 B3
Benfeld, 9 B7
Bengale, Golfe du 22 C4,5
Bengale occidental (1), D.a., 22 B4
Benghazi, 28 A5
Bengkalis, 19b D2
Bengkulu, 23 D2
Benguela, 30 C2
Benha, 26a B3
Beni, R., 38 D3
Beni Abbes, 28 A2
Beni Mellal, 28 A2
Bénin, État, 29 C6
Bénin, Golfe de 29 D6,7
Benin-City, 29 D7
Beni Souef, 28 B6
Benjamin Constant, 38 C2,3
Ben Nevis, M., 5 B4
Bénodet, Anse de 9 C1
Benoni, 30 D3
Bénoué (Benue), R., 29 C9
Benue (4), D.a., 29 D8
Benue, R., voir Bénoué, R.
Benxi, 24 B6
Benzú, 5a B3
Berat, 13 B4
Beograd (Belgrade), 13 A5
Berber, 28 C6
Berbera, 28 C7
Berbérati, 28 D4
Berck, 9 A4
Berdiansk, 18 C4
Berditchev, 18 C2
Beregovo, 18 C1
Berejany, 18 C1,2
Berens, R., 35 A2
Berens River, 33 C10
Bereza, 18 B1,2
Bérézina, R., 18 B2
Bereznik, 17 B6
Berezniki, 17a B2
Berezovka, 18 C3
Berezovo, 16 C8
Berga, 11 F2
Bergama, 21a B1
Bergamo, 13 A2
Bergen, 15 C3
Bergerac, 10 D4
Bergues, 9 A5
Berhampore, 22a B,C4
Berhampur, 22 C4
Béring, Détroit de 31 C4
Béring, Mer de 31 D2-4
Beringovski, 16 C19
Berkatit, 16 D14
Berkeley, 34 D2
Berlevåg, 15 A9
Berlin, 12 B4
Berlin (1), D.a., 12 B4
Berlin-Ouest, État, 12 B4
Bermejo, R., 39 A2,3
Bermudes, D.a., Iles 31 F14
Bernay, 9 B4
Bern (Berne), 9,10 C7
Bernburg, 12 C3
Berne voir Bern
Beroun, 12 C4
Berre, 10 E6
Berre, Étang de 10 C6
Berriane, 27a B1
Bertoua, 29 D9

Borsod-Abaúj-Zemplén (4), D.a., 14A2
Borüjerd, 21C5
Borzia, 16D13
Bosaso, 28C7
Bositenghu, L., 24B2
Bosna, R., 13A4
Bosna i Hercegovina, (1), D.a., 13A4
Bosphore, Dét., 21aA1
Bossangoa, 28D4
Boston (É.-U.), 35C6
Boston (Grande -Bretagne), 11C3,4
Boteti, R., 30D3
Botev, M., 5C6
Botnie, Golfe de 15B,C6,7
Botoşani, 14B3
Botrange, M., 7A7
Botswana, État, 30D3
Bottrop, 12aA2
Botucatu, 39aB4
Bouaké, 29D4
Bouar, 28D4
Bouârfa, 28A2
Boucau, 10E3
Bouches-du-Rhône Dép., 10E6
Bouclier laurentien, Terr., 31C-E10-14
Boudennovsk, 18D5
Bou Djébéha, 29A5
Boufarik, 27aA1
Boug, R., 18C2
Bougainville, I., 41D5
Bougatchev, 18B6
Bougie (Bejaïa), 27aA1,2
Bougouîma, 18B7
Bougouni, 29C4
Bougourouslan, 18B7
Bougrino, 17A7
Bouï, 17C6
Bouïnaksk, 18D6
Bouinsk, 17D7
Boukhara, 16F8
Boulay-Moselle, 9B7
Boulder City, 34D3,4
Boulia, 40C3
Boulogne, R., 9,10C3
Boulogne-Billancourt, 9B4,5
Boulogne-sur-Mer, 9A4
Bouna, 29C5
Boundiali, 29C4
Bounty, Iles carte 3
Bourail, 41aA1
Bouraké, 41aA2
Bourbon-Lancy, 9,10C5
Bourbon l'Archambault, 9,10C5
Bourbonnais, Rég., 7C4,5
Bourbonne-les-Bains, 9C6
Bourcefranc, 10D3
Boureia, R., 24A7
Bourem, 29A5
Bourganeuf, 10D4
Bourg-en-Bresse, 9,10C6
Bourges, 9,10C5
Bourget, Lac de 10D6,7
Bourgneuf, 9C3
Bourgneuf, Baie de 9C2
Bourgogne, Canal de 9C6

Bourgogne, Rég., 7C5,6
Bourgion-Jallieu, 10D6
Bourg-Saint-Andéol, 10D6
Bourg-Saint-Maurice, 10D7
Bourgueil, 9C3,4
Bourke, 40D4
Bournemouth, 11D3
Bou Saâda, 27aA1
Bousira, R., 30A,B3
Boussac, 9,10C5
Boustra, R., 30A,B3
Boutchatch, 18C2
Boutilimit, 29A2
Boutonne, R., 10C3
Boutourlinovka, 18B5
Bouvet, Ile 42E36
Bouzoulouk, 18B7
Bow, R., 34A4
Bowen, 40B4
Bowie, 34E5
Bowling Green, 35D3
Boyuibe, 38E3
Bozeman, 34B4
Bozoum, 28D4
Bra, 13aB1
Brač, I., 13B4
Brach, 28B4
Bräcke, 15O5
Brad, 14B2
Bradenton, 35F4
Bradford (É.-U.), 35D5
Bradford (Grande -Bretagne), 11C3
Braga, 11F1
Braga (3), D.a., 11F1
Bragança (Brésil), 38C5
Bragança (Portugal), 11F2
Bragança (4), D.a., 11F2
Brahmapoutre, R., 22B5
Brăila, 14B3
Brainerd, 35B2
Bralorne, 33aB2,3
Branco, Cap 37C6
Branco, I., 28aA1
Branco, R., 38B3
Brandberg, M., 26G6
Brandenburg, 12B3,4
Brandon, 33D9,10
Brantford, 35C4
Brantôme, 10D4
Brasília, 38D5
Braşov, 14B3
Brass, 29D7
Brassac-les-Mines, 10D5
Bratislava, 12C5
Bratsk, 16D12
Bratsk, Réservoir de 16bA1
Braunschweig, 12B3
Brava, I., 28aB1
Bravo del Norte, R., voir Rio Grande, R.,
Brazeau, 33C8
Brazos, R., 34E6,7
Brazzaville, 30B2
Břeclav, 12C5
Breda, 12C2
Bregenz, 12D3
Bréhat, Ile de 9B2
Breidafjördur, G., 15aB1,2
Breil, 10E7
Bremen, 12B3
Bremen (3), D.a., 12B3
Bremerhaven, 12B3

Bremerton, 33aC2,3
Brenta, R., 13aA5
Brescia, 13A2
Brésil, État, 38C2-5
Brésilien, Plateau 37D4,5
Bresse, Rég., 7C6
Bressuire, 9,10C3
Brest (France), 9B1
Brest (U.R.S.S.), 18B1
Bretagne, Rég., 7B,C1-3
Brétigny-sur-Orge, 9B5
Brewster, Cap, 42B16
Bria, 28D5
Briançon, 10D7
Briansk, 18B4
Briare, 9C5
Bricquebec, 6aA3
Bridgeport, 35C6
Bridgetown (Australie), 40D1
Bridgetown (Barbade), 36bB3
Brie, Rég., 7B5
Brienne-le-Château, 9B6
Brienz, 9,10C7,8
Briey, 9B6,7
Brighton, 11D3
Brignoles, 10E7
Brigue, 9C8
Brikama, 29B1
Brindisi, 13B4
Brioude, 10D5
Brisbane, 40C5
Bristol, 11D3
Bristol, Baie de 33C3,4
Bristol, Canal de 11D2,3
Britanniques, Iles 19D1,2
British Columbia, D.a., 33C7
Brive-la-Gaillarde, 10D4
Brno, 12C5
Broadback, R., 35A5
Brochet, 33C9
Brockville, 33b
Brockway, 34B5
Brodokalmak, 17aB3
Brody, 18B2
Broken Hill, 40D4
Bron, 10D6
Bronx, 32a
Brooklyn, 32a
Broome, 40B2
Broons, 9B2
Brou, 9B4
Brownsville, 34F7
Brownsweg, 38B4
Brownwood, 34E7
Bruay-en-Artois, 9A5
Bruck an der Mur, 12D4
Brugge, 12C1
Brumath, 9B7
Brunei, État, 23C3
Brunswick, 35E4
Brush, 34C6
Bruxelles, 9A6
Bryan, 34E7
Brzeg, 12C5
Bucak, 21aB2
Bucaramanga, 38B2
Bucarest voir Bucureşti
Buchanan, 29D3
Buckleboo, 40D3
Büchehr, 21D6

Bucklin, 34D7
Bu Craa, 28B1
Bucureşti, 14B3
Budapest, 14B1
Búdardalur, 15aB2
Budd, Côte, 42F25
Büdir, 15aB2
Budrio, 13aB5
Buea, 29D8
Buenaventura, 38B2
Buendía, 8F2
Buenos Aires, 39B3
Buenos Aires, D.a., 39B2,3
Buenos Aires, Lac 39C1
Buerjin, 24B2
Buffalo, 35C5
Bug, R., 18B1
Bujumbura, 30B3,4
Bukama, 30B3
Bukavu, 30B3
Bukittingi, 23D1
Bukoba, 30B4
Bulawayo, 30D3
Bulgarie, État, 14C2,3
Bulloo, R., 40C4
Bulo Burti, 28D7
Bumba, 28D5
Bunbury, 40D1
Bundaberg, 40C5
Bunguran, Iles 23C2
Bünyan, 21aB3
Buraidah, 28B7
Buraimi, 21E7
Burao, 28D7
Buras, 34F3
Burdur, 21aB1,2
Bür Fuad, 21aD4
Burgas, 14C3
Burgas (2), D.a., 14C3
Burgenland (1), D.a., 11D5
Burgos, 11D5
Burgsvik, 15D6
Burhanpur, 22B3
Burketown, 40B3
Burkina, État, 29B,C5
Burlington (É.-U. - Vermont), 35C6
Burlington (É.-U. - Washington), 33aB3
Burnaby, 33a B 2,3
Burnie, 40E4
Burns, 34C3
Bursa, 21aA1
Bür Taufiq, 26aB,C4
Büru, Cap 19112
Buru, Ile, 23D4
Burundi, État, 30B3,4
Busselton, 40D1
Busto Arsizio, 13A2
Buta, 28D5
Butchaqi, 24B6
Butte, 34B4
Butterworth, 19bB2
Butuan, 23C4
Butung, Ile 23D4
Buzançais, 9,10C4
Buzău, 14B3
Buzău, R., 14B3
Bydgoszcz, 12B5
Bykovo, 18C6
Bylot, I., 33A11,12
Byron, Cap 40C5
Byske älv, R., 15B7
Bytom, 12C5

Moldoveanu, M., 5C7
Molépololé, 30D3
Molfetta, 13B4
Molinons, 9B5
Molise (11), D.a., 13B3
Mollendo, 38D2
Molodejnaïa, base, 42F32
Molodetchno, 18B2
Molokai, I., 35aB3
Moloma, R., 17C7
Molopo, R., 30D3
Mombasa, 30B4,5
Mombetsu, 25B7
Molsheim, 9B7
Moluques, Is., 23C,D4
Moluques, Mer des 23C,D4
Món, I., 12B4
Mona, Passe de, Détroit 36B,C6
Monaco, 10E7
Monaco, État, 10E7
Monastir, 13D2
Moncalieri, 13aA,B1
Moncayo, M., 7F2,3
Mönchengladbach, 8A7
Monclova, 36B2
Moncton, 33D13
Mondovi, 13aB1
Monet, 35B5
Monforte de Lemos, 11F2
Monghyr, 22aB3
Mongo, 28C4
Mongolie, État, 24B3-5
Mongolie Interieure voir Nei Monggol Zizhiqu
Mongu, 30C3
Monistrol-sur-Loire, 10D6
Monroe (É.-U. - Louisiana), 35E2
Monroe (É.-U. - Washington), 33aC3
Monrovia, 29D3
Mons, 9A5,6
Monselice, 13aA5
Montagne Tremblante, Parc de la 33b
Montana, D.a., 34B4,5
Montargis, 9C5
Montauban, 10E4
Montbard, 9C6
Montbéliard, 9C7
Montbrison, 10D5,6
Montceau-les-Mines, 9,10C6
Montchanin, 9,10C6
Montchegorsk, 17A4
Mont-de-Marsan, 10E3
Montdidier, 9B5
Montebelluna, 13aA5,6
Montebourg, 6aA3
Monte Caseros, 39aD2
Montego Bay, 36C6
Montélimar, 10D6
Monte Lirio, 34a
Montemorelos, 34F7
Montende, 10D4
Montenegro, 39aC3
Montereau-Faut-Yonne, 9B5
Monterey, 34D2
Montería, 38B2
Monterrey, 36B2,3
Montes Claros, 38D5
Montevideo, 39B3
Mont Forest, 33b
Montfort, 9B2,3
Montgomery, 35E3
Monticello, 34D5
Montignac, 10D4

Mont Joli, 33D13
Mont Laurier, 35B5
Mont Louis, 10E5
Montluçon, 9,10C5
Montmartin-sur-Mer, 6aA3
Montmédy, 9B6
Montmélian, 10D7
Montmirail, 9B5
Montmorillon, 9,10C4
Montoire-sur-le-Loir, 9C4
Montpelier, 35C6
Montpellier, 10E5
Montréal, 33D12
Montrèal, Ile de 33b
Montreuil, 9A4
Montreux, 9,10C7
Montrichard, 9C4
Montrose, 11B3
Mont Saint-Michel, Baie du 9B3
Montserrat, D.a., I. 36bA2
Montserrat, M., 7F4,5
Monts Pensacola, M., 42H6
Monza, 13A2
Monzón, 11F4
Moonie, 40C4
Moore, Lac 40D1
Mooréa, I., 41dB1
Moorhead, 34B7
Moosehead, Lac 32b
Moose Jaw, 33C9
Moosonee, 33C11
Mopti, 29B4,5
Mora, 15C5
Moradabad, 22B3,4
Moramanga, 30C5
Moratuwa, 20aC2
Morava, R., 12C5
Morava Méridien, R., 13B5
Morawhanna, 38B4
Morbihan, Dép., 9B,C2
Morcenx, 10D3
Morchansk, 18B5
Mordovie, D.a., 18B5,6
Morehead City, 35E5
Morelia, 36C2
Morella, 11F3,4
Morelos (16), D.a., 36C3
Moret-sur-Loing, 9B5
Morez, 9,10C6,7
Morfou, 19cA1
Mórfou, Baie de 19cA1
Morioka, 25C7
Morlaix, 9B2
Morogoro, 30B4
Morombe, 30D5
Morón (Argentine), 39B3
Morón (Cuba), 36aA4
Mörön, 24B3,4
Morondava, 30D5
Moroni voir Njazidja
Morotal, Ile 23C4
Morozovsk, 18C5
Morrinhos, 38D5
Morrisburg, 33b
Morris Jesup, Cap 42D17
Morristown, 35D4
Mort, Vallée de la 31aC2

Mortagne-au Perche, 9B4
Mortagne-sur-Sèvre, 9,10C3
Mortain, 9B3
Mortara, 13aA2
Morte, Mer 26A8
Morteau, 9C7
Mortlock, Iles 41C5
Morvan, Rég., 7C6
Moscou voir Moskva
Moscow, 34B3
Moselle, Dép., 9B7
Moselle, R., 12C2
Moses Lake, 34B3
Moses – Saunders, Centrale hydroélectrique 32b
Moshi, 30B4
Mosjøen, 15B5
Moskva (Moscou), 17C5
Moskva, R., 17C5
Moskva kanal, Cl., 17C5
Mosquitos, Golfe de 36C,D4
Moss, 15D4
Mossel Bay, 30E3
Mossoro, 38C6
Mossoul 21B4
Most, 12C4
Mostar, 13B4
Mostardas, 39aD3
Móstoles, 11F2,3
Motala, 15D5
Motherwell, 11C3
Motril, 11G3
Mouanza, 30B3
Moudjeria, 29A2
Mouila, 30B2
Moukatchevo, 18C1
Moukden voir Shenyang
Moulins, 9,10C5
Moulmein, 22C5
Moulouya, Oued, R., 28A2
Moumra, 18C6
Moundou, 28D4
Mount Gambier, 40D4
Mount Goldsworthy, 40C1,2
Mount Isa, 40C3
Mount Morgan, 40C4,5
Mount Pleasant, 35E2
Mount Tom Price, 40C1
Moura (Brésil), 38C3
Moura (Portugal), 11G2
Mourachi, 17C7
Mourdiah, 29B4
Mourenx, 10E3
Mourgab, 21A3
Mourmansk, 17A4
Mourmelon-le-Grand, 9B6
Mourom, 17C6
Mous-Khaïa, Mt., 42B33
Mousmar, 28C6
Moustve, 17C3
Moûtiers, 10D7
Moyale, 28D6
Moyamba, 29C2
Moyobamba, 38C2
Mozambique, 30C5
Mozambique, Canal de 26F,G8,9
Mozambique, État, 30C,D4
Mozdok, 18D5,6
Mozyr, 18B2
Mpanda, 30B4

Mpika, 30C4
Msaken, 13D2
M'sila, 27aA1
Mtsensk, 18B4
Mtwara, 30C4,5
Muang Kammouan, 22C6
Muar, 19bC3
Muarabungo, 23D2
Mubi, 29C9
Mucusso, 30C3
Mudanjiang, 24B6,7
Mudanjiang, R., 25B4
Mudanya, 21aA1
Mufulira, 30C3
Muğla, 21aB1
Muglad, 28C5
Muhammad, Cap 26B8
Muhammad Qawl, 28B6
Muiezerski, 17B4
Mukala, 28C7,8
Mulan, 25A4
Mulengzhen, 25B5
Mulhacén, M., 5D4
Mülheim, 12aB2,3
Mulhouse, 9C7
Mulinghe, R., 25A5
Mull, R., 11B2
Mullewa, 40C1
Mulobezi, 30C3
Multan, 22A3
München (Munich), 12C3,4
Muncie, 35C3
Mungbere, 28D5
Munich voir München
Munku Sardyk, M., 19C11,12
Munster, 9B7
Münster, 12C2,3
Muntok, 23D2
Muonio, 15B8
Mur, R., 12D4
Muradiye, 21aB4
Murat, 10D5
Murat, R., 21aB4
Muratkovo, 17aB3
Murchison, Cap 31B11-13
Murchison, R., 40C1
Murcia, 11G3
Murcia (14), D.a., 11G3
Mur-de-Bretagne, 9B2
Mureş, R., 12C6
Muret, 10E4
Murgab, R., 21B8
Murkong Selek, 22B5
Muroran, 25B7
Murray, R., 40DA
Murray Bridge, 40D3,4
Murrumbidgee, R., 40D4
Murwara, 22aC2
Murzuq, 28B4
Muş, 21aB4
Musa, M., 5aB3
Musala, M., 5C7
Musan, 25B4
Musa Qala, 21C8
Musgrave, Monts 40C3
Musi, R., 23D2
Muskegon, 35C3
Muskogee, 35D1
Musoma, 30B4
Mussau, 10D4
Mussy-sur-Seine, 9C6
Mustafakemalpaşa, 14C,D3,4
Mustang, 22aA2
Mût, 28B5
Mutare, 30C4

COMPOSITION RÉALISÉE PAR C.M.L., MONTROUGE

IMPRIMÉ EN TCHÉCOSLOVAQUIE
Dépôt légal n° 7436 - 3ᵉ trimestre 1990
30 - 70 - 2222 - 17   ISBN 2-253-00356-5